LA DERNIÈRE LEÇON

NOËLLE CHÂTELET

LA DERNIÈRE LEÇON

récit

ÉDITIONS DU SEUIL
27, rue Jacob, Paris VIe

Les Éditions du Seuil et Mme Noëlle CHÂTELET signalent que l'ouvrage de M. Mitch ALBOM, traduit et préfacé par Mme Marie de HENNEZEL, publié en 1998 aux Éditions Robert Laffont et toujours disponible, porte le même titre et traite, sous une forme différente, du même sujet: la fin de vie, que le présent récit.

Elles les remercient de les avoir autorisées à conserver ce titre.

ISBN: 2-02-059258-4

www.seuil.com

À ma sœur Agnès

«Ce sera donc le 17 octobre.»

C'est ainsi, par cette phrase, toute simple, ces six mots, tout simples, que tu nous l'as annoncée, ta mort.

Phrase guillotine que cette petite phrase-là. Couperet. Six mots faits d'acier tranchant aiguisé avec constance, depuis des années.

Tu l'as prononcée tranquillement, calmement. Pour qu'elle fasse le moins de mal possible, qu'elle paraisse naturelle, comme on annonce la date d'un voyage, pour qu'elle soit audible à l'oreille de tes enfants en principe préparés à l'entendre, depuis des années.

Cette phrase, je n'étais pas prête, pas prête du tout, à l'entendre pour de bon, je l'ai compris aussitôt.

De la lame des six mots, j'ai juste senti le froid. Rien d'autre que le froid. Pas de douleur. Que le froid. Pas de sang non plus : le sang s'était glacé, à moins qu'il ne se soit d'un coup retiré de moi, jusqu'à la dernière goutte de vie.

J'ai pensé : Ce doit être cela le froid de la mort. J'ai pensé : Je n'en reviendrai pas.

Se réchauffe-t-on d'un tel froid ? Le froid de la mort, seuls les morts le vivent, pas les vivants, non ?

J'avais tort : je suis chaude à présent. Chaude et vivante. Réchauffée. J'en suis revenue du froid de la mort annoncée, des six mots d'acier…

Il m'a fallu pour cela retourner à l'école, mais pas n'importe quelle école.

La date du 17 octobre m'a inscrite, de force, à l'école de la mort, de ta mort.

C'est toi qui m'as désigné le banc où je devrais m'asseoir, toujours tranquillement, et tout aussi obstinée.

Je n'y serais jamais allée de moi-même. Je ne voulais pas y entrer à cette école. Je ne voulais pas apprendre, pas savoir.

Je me suis rebiffée, d'abord. D'abord j'ai protesté. Donné des coups de pied, de poing contre ton obstination, ta tranquillité. Et puis je me suis assise sur le banc que tu m'avais désigné.

Vaincue, j'ai ouvert le cahier, le cahier avec l'étiquette à ton nom écrit en lettres noires. À aucun enfant je n'aurais souhaité une telle rentrée des classes...

Quand même, sur la date, tu as transigé.

Tu as bien voulu concéder que la précision de la date ajoutait à la violence de ton geste.

Il fut demandé que la date ne soit pas précisée.

Soit. Ce ne serait plus le 17 octobre, mais ce serait. Bientôt. Très bientôt. Un fol espoir m'a traversée, irréaliste comme souvent l'espoir: ce serait, bientôt, très bientôt, certes, mais plus de date guillotine. Ta mort ressemblait soudain à n'importe quelle mort. Une menace normale, sur une très vieille dame, normale, qui sait que c'est pour bientôt. Plus de date, plus de mort? Enfin, presque, presque normale, la mort. Suspendue, un peu abstraite. Surtout, plus le couloir, le couloir des condamnés, jusqu'au 17 octobre...

Le 17 octobre... Tu dis avoir hésité entre le 17 et le 16. Le 16 octobre, jour de ma naissance, premier jour de mes jours : «Je ne t'aurais pas fait cela, quand même !» Merci maman. Merci pour l'attention. Tu as donc choisi le lendemain pour ne pas mettre fin à tes jours le jour de mon premier jour. Joyeux anniversaire, ma chérie, demain je vais mourir. Demain je me tue. Je les vois d'ici, la fête, les bougies.

Merci, maman. Coups de pied, coups de poing dans le gâteau.

Mais plus de 17 octobre. Je l'ai échappé belle.

Rouge de colère, j'étais, mais aussi un peu de honte. J'ai regretté de m'être ainsi fâchée quand, un peu plus tard, nous nous sommes retrouvées un moment seules dans la chambre, où nous avions dû te porter, rappelle-toi. L'émotion avait été trop forte devant notre résistance, car de mort datée signée nous ne voulions pas, du 17 octobre nous ne voulions pas.

J'ai caressé ton front, tes cheveux blancs, ton visage chaviré de fatigue, de déception.

Les choses ne s'étaient pas passées comme tu l'aurais souhaité.

Tes yeux étaient fermés. Tu étais si pâle que tout à coup, sans effort, je t'ai vue en gisante. J'ai pu t'imaginer dans la mort. On aurait dit qu'elle était déjà en toi, que déjà elle travaillait pour toi, en alliée, en amie, alors que nous... Alors que moi qui disais t'aimer en caressant ton front, tes cheveux... Moi, ta fille, si sûre, jusque-là, de mon amour... J'ai trouvé la mort plus aimante que moi. Oui, c'est cela : plus aimante.

Ce doit être à cet instant que tout a basculé, que tout s'est décidé avant même que tu ne me parles, dans cet instant stupéfiant, encore inexplicable, je me suis sentie comme prise en défaut, en défaut d'amour. Jusqu'à être jalouse, oui, jalouse de la mort, ton amie la mort.

Je t'avais donc déçue, et penaude j'étais, assise sur ton lit. L'as-tu senti ? Tes yeux se sont ouverts. Les deux larmes chétives qui ont mouillé ta peau transparente semblaient les dernières gouttes d'une source qui s'épuise et qui le sait. Au bout de vos forces, au bout des larmes vous étiez, la source et toi.

Sans me regarder, tu as prononcé ces mots, plus épuisés encore que les larmes : «Vous ne comprenez pas. Il faut m'aider maintenant.»

Tu ne me diras rien d'autre, ce soir-là. Rien d'autre, mais c'était assez. Je n'avais plus le choix. Avant même que tu prononces ces mots, je l'avais compris : irrévocable était ta décision. En acier la décision, aiguisée avec constance, tant de constance, pour tomber sur nos cous, le jour où tu le décréterais, avec ou sans nous. Avec ou sans moi.

Plus le choix : pour moi, ce serait avec. Comment ? Je l'ignorais, mais ce serait avec.

«Avec», cela signifiait me résigner au banc que tu me désignais. Accepter d'ouvrir, à contrecœur, le cahier avec l'étiquette à ton nom écrit en lettres noires, tremblante encore de révolte mais davantage d'effroi, car désormais, je le savais : le compte à rebours avait bel et bien commencé...

La peur m'a pénétrée, organique, suintante, mais inconnue surtout. Elle seule autorisera encore d'autres maigres gestes de révolte que je savais inutiles, pour ne pas dire pitoyables.

«J'espère ne jamais infliger à mon fils une chose aussi cruelle !» Voilà le genre de phrase définitive que je me suis autorisée tout au début, avec toi.

«Au début»... Quelle autre expression employer? Quel autre mot pour dire que, avec le «Ce sera donc le 17 octobre», un temps inédit de notre histoire commune était venu?

Trois mois. Trois mois pleins, faits d'étrangeté, que je garde aujourd'hui comme les plus importants de notre histoire, dont tu connais presque tout, mais pas tout cependant, car je ne t'ai pas tout dit. J'ai fait la bonne élève à l'école de la mort, de ta mort. Une élève consciencieuse jusqu'à la nausée parfois. Je ne t'ai pas tout dit...

Les sursauts de la révolte, tu les as laissés s'exprimer sans tenter de les calmer. Sans doute les trouvais-tu inévitables, ou du moins légitimes.

Tout au début, tu as assisté à ma résistance en silence, d'un air doux, sans t'offusquer. Tu attendais que le vent s'apaise, et il s'apaisait, toujours.

Mes tentatives de colère ne t'alarmaient pas. Tu pouvais te douter qu'elles auraient leur place dans le décor. C'était, comme on dit, la moindre des choses, non? Et puis, de moi-même, je l'ai tempérée, la colère, pour qu'elle ne prenne pas *toute* la place, qu'elle ne nous devienne pas pénible au point de nous rendre muettes, de rompre là le dialogue si essentiel pour nous deux, à ce moment de notre histoire.

D'ailleurs, n'avais-je pas accepté depuis longtemps le principe de ton départ, choisi par toi, par toi seule et quand tu le souhaiterais ?

N'avais-je pas promis, même, d'être à tes côtés quand ce moment arriverait, promis solennellement ?

Ce qui nous inquiétait davantage, toi et moi, c'était ma peur, cette peur organique, bien plus proche de ma nature que la colère.

Ma peur te posait problème, à cause du compte à rebours.

Qu'allais-je en faire ? Qu'allions-nous en faire ?

Le compte à rebours… Certes, nous n'étions plus sous la menace d'une date précise, mais elle demeurait imminente. Si le jour choisi par toi était repoussé, ce serait de quelques semaines, d'un mois, deux peut-être, guère plus. C'était pour bientôt, très bientôt.

Pour moi, le temps avait soudain changé de

matière. Le temps ne se comptait plus. Il se décomptait.

Il fallait retrancher, trancher chaque jour, chaque nuit qui passerait. Déduire ce jour, cette nuit du calendrier, les voir tomber l'un après l'autre, comme autant de pas vers ta mort décrétée.

Le moment était venu de la soustraction sur l'horloge de ta vie.

À cause de la soustraction, je ne voulais plus avancer.

Pire, je marchais à reculons, dans l'épouvante.

Mon épouvante m'épouvantait car elle allait grandir, c'était certain, à chaque coup de balancier, chaque mouvement de pendule. Jusqu'où, jusqu'à quel degré d'effroi allait-elle grandir ?

Feuilleter, refeuilleter mon agenda devenait compulsif. Ta mort y figurait forcément. Oui, mais où ? Quel jour ? De quel mois ?

Je la voyais partout. Elle se démultipliait. Tu n'en finissais pas de mourir, de tomber, avec les feuilles de mon agenda.

Je décomptais, à l'aveugle, en aveugle.

Le couloir des condamnés. Le couloir de la

mort. J'y étais. Condamnée à ta décision, avec le sentiment alors d'être bien plus condamnée que toi qui avais choisi de l'être, en toute conscience et sereine.

Le dernier trimestre de l'agenda 2002 est usé d'avoir été feuilleté et refeuilleté, interrogé jusqu'à la folie, dans les lignes, entre les lignes. Mes yeux se sont usés de l'avoir questionné en vain. Trois mois aura duré le seul jour de ta mort à préfigurer. À anticiper une mort dont toi seule étais la prophète car l'auteur.

Je regrettais maintenant de ne plus savoir. Tout aussi horrible me semblait à présent l'incertitude de la date, puisque certaine était l'échéance, imparable ton geste dans son imminence.

Un jour, n'en pouvant plus, je me suis surprise à te poser la question. Jouant la désinvolture, l'air dégagé, je t'ai demandé la nouvelle date. «Je croyais que tu ne voulais pas la connaître !»

J'ai protesté. Je ne savais plus ! Je voulais. Je ne voulais pas ! J'étais perdue, déchirée.

Mon déchirement t'a émue. Tu comprenais. Tu comprenais le dilemme.

Car ce dilemme, tu l'as toi-même vécu, toi-même éprouvé avant de prononcer la phrase devant tes enfants réunis.

Nous dire ? Ne pas nous dire ? La question t'a déchirée, toi aussi.

«Je vous croyais préparés à l'entendre...» Oui, en effet, tu étais en droit de nous croire préparés. Je croyais l'être, moi qui avais promis, solennellement, d'être au rendez-vous, de vivre ce moment, avec toi, sauf que... l'est-on jamais ? Est-on jamais préparé à entendre, de la bouche de sa propre mère, la date choisie de sa mort, même si cette mort a été admise, dans son principe, depuis fort longtemps ? Non, maman. C'était trop demander. Trop.

«Oui. Sans doute. Tu as sans doute raison. Je n'aurais peut-être pas dû... Pas dû vous associer d'aussi près...»

La tristesse a noyé tes yeux.

Insupportable m'a toujours été la tristesse de tes yeux. Petite fille déjà, je la traquais, je la débusquais, désespérée, déjà, de n'y pouvoir rien, si je la voyais venir, lorsque tu évoquais ta mère, justement, ton enfance sans elle. Ta mère, trop tôt disparue.

De nouveau, je me suis sentie fautive à cause de ma promesse non tenue, comme au soir de l'annonce, l'annonce faite aux enfants. Coupable d'un manquement qui me concernait, en partie. Cette fois, n'étais-je pas un peu pour quelque chose dans la tristesse de tes yeux ?

« Tu te sens seule, c'est cela ? »

Avant de me répondre, tu as pris ton temps. Temps nécessaire pour toutes deux, toi pour dire, moi pour entendre : « Oui. Je me sens un peu seule. Mais ce n'est pas grave. Ne t'inquiète pas. »

J'ai dû frissonner car le froid de la solitude, sans être le froid de la mort, est pénétrant, lui aussi, quand la mort est au bout du couloir.

Ta possible solitude, à ce point précis du compte à rebours, m'a glacée.

J'ai pensé : Je ne veux pas que tu te sentes seule. Mais je n'ai pas eu la vaillance de prononcer les mots. La peur seule m'a retenue, et la peur de ma peur, je crois, plus encore.

Que je les aie pensés, ces mots, a dû te suffire. Ce n'était pas la première fois que tu m'écoutais penser, que tu entendais ce qui n'était pas dit.

Bien plus tard, je comprendrais pourquoi et comment tu as souri, tu m'as souri…

*
* *

Quelques jours après, tu m'as donné la photo, choisie parmi des centaines d'autres. Tu t'en souviens ?

«Les photos, je n'ai pas la force, pas le courage de les trier. Vous le ferez plus tard... Mais j'ai trouvé celle-ci. Tiens !»

«Plus tard»... cela voulait dire «après»... Le «plus tard», c'était l'horloge arrêtée.

J'ai pris la petite photo racornie que tu me tendais. Tu avais l'œil amusé, presque espiègle...

C'est bien toi et bien moi qui sommes là, dans notre jardin du bord de mer. Tu as ton chignon bas, moi mes boucles de bébé.

À mon tour, je m'amuse de ce qui t'amuse : la situation, notre posture. Insolite et pourtant si banale, la posture... Celle d'une mère tenant son enfant. Quel âge ? Un an... Une mère tenant son enfant au-dessus de l'herbe pour un pipi urgent, du matin ou du soir, mais urgent.

Qui donc nous a surprises ainsi, dans l'intimité de ce geste entre mère et fille ? Tu ne te le rappelles pas. Qu'importe. La photo existe et c'est cette photo, parmi des centaines d'autres, que tu veux me donner.

Ce n'est pas un hasard si tu le veux. Bien sûr, cette photo a un sens, car tout prend sens dans le décompte du temps. Le mot, le geste le plus anodin comptent dans le compte à rebours.

Le sens, je ne l'ai pas tout entier saisi, sur le moment. C'est en regardant la photo autrement, seule à seule, que j'en ai découvert la part cachée, énigmatique, quelques jours plus tard.

Sur le moment, j'ai vu seulement une mère et une fille accomplissant chacune séparément, et pourtant ensemble, dans un geste commun, presque emblématique malgré sa simplicité, une tâche naturelle qui les rendait inséparables.

Sur le moment, aussi, j'ai vu l'emboîtage complice de nos deux corps gigognes. Mais ce qui était le plus frappant, ce que la photo montrait le mieux, c'est que grâce à la posture, le dialogue unique entre toi et moi, pour ce qui est des choses de la vie, avait singulièrement commencé.

Cela pour la part visible de la photo. C'était d'ailleurs déjà beaucoup, la part visible...

Quant à la part cachée, il faudra beaucoup

d'épouvante, beaucoup de marche à reculons pour qu'elle vienne à la conscience.

Étais-je particulièrement désemparée la fois où la photo s'est livrée tout entière ?

Cette fois, en tout cas, j'ai vu quelque chose d'autre dans la photo que seule permettait la sensation retrouvée. Magie des retrouvailles. J'ai revécu la scène. La lointaine posture, mon corps, constant, fidèle à ce qu'il a vécu, m'en a offert la vision...

Je sens tes bras qui me soulèvent. Je suis arrimée à eux comme une balançoire parfaite d'équilibre.

«Tu me tiens, hein ?

– Mais oui je te tiens !»

Au-dessus de moi, il y a le souffle de ta bouche qui m'encourage, le coussin de tes seins contre ma tête bouclée.

Au-dessous, les herbes hautes du jardin qui frôlent mes fesses nues. La périlleuse nature. Il y a l'inconnu.

«Allez, vas-y, n'aie pas peur !»

N'aie pas peur...

C'est cela que j'entends distinctement. Avec ta voix de toujours.

Sauf que je l'entends alors dans le désemparement. Autrement m'arrive l'injonction de mère à fille. Autrement elle agit. Le «N'aie pas peur» s'adresse à toutes les peurs, les peurs de fille.

N'aie pas peur du pipi au-dessus des herbes hautes. N'aie pas peur de la mort de ta mère. C'est pareil. Du même ordre pour ce qui est de la posture, pour ce qui est de la nature. Je te dis «N'aie pas peur» parce que l'un et l'autre s'apprennent en douceur, sans douleur, du moment que quelqu'un vous tient, vous tient bien, au-dessus des herbes, de l'inconnu. Moi, ta mère, je te tiens. Tu verras. Tu peux compter sur la force de mes bras. Je t'apprendrai. Je t'apprendrai la mort, ma mort, comme je t'ai appris ce premier pipi périlleux dans notre jardin du bord de mer. C'est pareil, tu verras. Allons, rentre en classe, ouvre notre cahier. Jusqu'à la dernière, si tu le veux, nous en tournerons les pages, ensemble...

Ai-je rêvé cette scène en la revisitant ? Ce n'est pas impossible. Je connais mon goût intarissable de l'interprétation, ma tendance à mettre du sens dans le moindre signe, à vouloir du signe dans la moindre manifestation du réel, mais tu les connaissais aussi, toi qui m'as donné cette photo, choisie parmi des centaines d'autres, et certainement me faisais confiance pour la déchiffrer jusqu'à la dernière parcelle, dernière bribe de sens...

La photo a été posée sur la coiffeuse de ma chambre, dans ma boîte à bijoux. Elle y est toujours. Nous nous sommes causé souvent, avant et après ton départ. Avant, pour reprendre la posture d'enfance, m'assurer que oui, en effet, tu me tenais encore, tu me tenais bien au-dessus de l'inconnu. Après, pour te remercier d'un baiser du bout des doigts.

Rêvée ou pas, la scène ? Quelle différence ? Seule importe la force que j'en ai retirée, la rassurance venue de toi, depuis le jardin du bord de mer, la balançoire, parfaite d'équilibre, de nos deux corps gigognes, la première leçon pour moi accroupie sur la vie, sur l'inconnu, dans ma posture de fille.

En te décrivant la scène telle que je l'ai revisitée, rêvée ou pas, j'ai la preuve définitive – s'il en fallait – que le sens que j'ai voulu mettre dans la photo était le seul possible. Cette certitude me vient de l'écriture elle-même, qui elle aussi a sa posture.

Je me rends compte, stupéfaite, combien sont proches cette scène-ci et celle que j'ai appelée dans mon dernier livre, *La Tête en bas*, «la scène de la mort de la mère». Elles sont comme calquées l'une sur l'autre, obéissant à la même cadence, les mêmes images de chute dans le vide, de peur de l'inconnu, et surtout la même posture des personnages, l'un protégeant l'autre de tout son corps pour aider la nature à accomplir son destin, l'un soutenant l'autre dans l'acceptation des choses de la vie, des choses de la mort.

Dans le roman, c'est Paul, le fils, qui aidait sa mère à mourir. Dans la photo, c'est la mère, toi, qui m'initie à ma vie de femme.

Je n'en reviens pas de cette découverte qui cependant s'explique, a sa propre cohérence. Dans notre dialogue de toujours, l'écriture avait sa place, elle aussi. Tu l'as accompagnée, comme tous mes questionnements intimes, depuis les premières lignes écrites de ma main, avec autant de curiosité que de perplexité devant ce quelque chose de moi, un peu énigmatique, dont pour rien au monde tu aurais voulu être exclue et qui nous mettait au plus près. Sans nos tête-à-tête sur l'écriture, où tu étais d'ailleurs sans concession, nous nous serions peut-être détachées, le lien qui nous tenait arrimées se serait peut-être défait, sans se refaire ailleurs, parce que ailleurs m'importait moins.

La scène de la mort de la mère... Tu l'as, si je puis dire, partagée avec moi. Tu en as vécu la naissance dans une sorte d'inspiration commune qui me bouleverse encore.

C'était il y a deux étés. Tu étais venue pour quelques jours dans la maison du Sud. Tu voulais admirer le moulin sorti des ruines. Tu voulais le voir avec nous dedans, U. et moi, pour nous imaginer plus tard, nous y suivre par la pensée. C'était il y a deux ans et, comme à l'habitude, tu ne t'étais embarrassée d'aucune précaution: «Je ne reviendrai pas dans cette maison. C'est la dernière fois que je la vois, c'est pourquoi je souhaite y vivre un moment à vos côtés.»

C'était vrai. Tu n'y es pas revenue.

La phrase était faite pour être entendue, aux deux sens du mot.

Saluer ce lieu tout neuf sorti de nos mains d'un bonjour-au revoir était ton désir dont l'acier, malgré ta tendresse, s'aiguisait à faire mal.

Nous n'étions pas encore dans le compte à rebours, mais quand même dans l'esprit, de plus en plus précis, de ton départ. C'est pourquoi, avec à l'oreille la phrase entendue, je me souviens d'avoir vécu ces jours d'été comme les derniers dans ce lieu, toi présente.

Répétition générale ou couturière, en costume de scène ? C'était un peu cela, oui. Quelques jours à éprouver chaque sensation dans la soustraction à venir sur l'horloge des étés, de tous les étés à venir, sans toi. À vivre les heures comme uniques puisqu'elles ne seraient plus. À les presser jusqu'à la dernière goutte de joie et de mélancolie mêlées, jusqu'à les rendre exsangues.

Pour la première fois, ces quelques jours où nous avons vécu ensemble, j'ai mesuré l'extrémité de ta fatigue. L'expression «Je suis fatiguée» que tu employais avec une tristesse si extrême a pris un sens nouveau, déchirant. Oui, fatiguée, tu l'étais, vraiment, indéniablement – j'en étais le témoin impuissant et désespéré –, assez pour affirmer que tu ne reviendrais pas dans cette maison et m'en faire partager la certitude. Tu ne reviendrais pas.

C'est alors que j'ai écrit pour Paul, l'hermaphrodite, la mort de la mère, de sa mère. C'était le hasard, me diras-tu, si j'en étais, au moment de ta venue, à cette partie-là de l'histoire de Paul, si sa mère allait justement mourir quand, justement, je t'ai installée dans la chambre au-dessous de la mienne.

Au hasard je ne crois guère, pas plus que toi d'ailleurs, n'est-ce pas ? Nos deux lits, le tien au rez-de-chaussée, le mien à l'étage, étaient eux aussi au-dessus l'un de l'autre, presque superposés, un peu gigognes, à leur façon. Je percevais sous moi tous tes mouvements. J'en épiais la lenteur, la fragilité. Je sentais ton épuisement monter jusqu'à moi, silencieux, car tu ne voulais pas déranger, me sachant, au-dessus, en train d'écrire.

Les mots qui me sont venus, les mots de la mort, je crois bien qu'ils sont montés de ta chambre silencieuse où tu étais allongée, à lire, enveloppée dans un gros châle de laine car tu avais un peu froid, disais-tu, froid, en plein été…

« Un lit d'agonie ne ressemble à aucun autre. C'est un petit muret avec vue plongeante sur la mort. » La mère de Paul qui se mourait te ressemblait de plus en plus. Vos deux visages se sont confondus. Bientôt ce fut toi qui te mourais dans les bras de Paul...

« Comment vas-tu, mon fils ?

– Je vais... Je viens...

– Moi, je m'en vais, tu sais ?

– Oui, je suis venu pour cela. »

Moi, je n'étais pas Paul. Pas du tout, j'étais fille, une vraie fille, mais est-ce que je viendrais, moi aussi, pour cela ? Est-ce que je serais là quand tu sauterais du muret ? Me glisserais-je, comme Paul, quand tu sauterais, *« sous le drap mouillé de ta dernière angoisse de mère »* ?

Ce sont ces mots qui s'inscrivirent entre les deux chambres quand ta fatigue extrême montait jusqu'à moi, vers ce lit d'où je te parle aujourd'hui, dans la même exacte posture, au-dessus de « ta » chambre.

Tu as parfois habité mes livres, mais là ce fut autre chose. Sans la menace de ton départ prochain, sans le froid qui t'a saisie en plein été, sans la solennité, impossible à écarter, qui accompagnait gestes et paroles et surtout cette lassitude indéniable dont je découvrais l'immensité, jamais tu n'aurais inspiré ma main d'une aussi mystérieuse manière.

Il fallait que je te raconte cette communion étrange d'où les mots sont venus, comme je t'avais fait mourir dans les bras aimants et un peu fous d'un fils qui se trouvait être à la fois fille, mais qui ne voulait pas, surtout pas, que tu t'égratignes aux bords coupants du petit muret de la mort quand il faudrait sauter…

Nous nous sommes retrouvées à l'ombre du saule pour la tomate de midi. «Tu sais, maman, t'ai-je dit, ce matin, j'ai écrit la mort de la mère de mon personnage… Et… j'ai beaucoup pensé à toi, en l'écrivant…»

Tu as levé vers moi un regard qu'un livre entier ne suffirait pas à décrire, ce regard lumineux et droit aux ciels changeants sous lequel j'ai grandi : «C'est bien, ma chérie», as-tu répondu.

«C'est bien.» C'était bien ce que j'avais accompli là. Tu me félicitais.

Tu me complimentais de t'avoir fait mourir si simplement, naturellement, à travers la mère de Paul. C'est bien ma chérie. C'est bien ainsi qu'il faut faire. Ma mort ne devrait pas être plus difficile à concevoir que celle d'un personnage de roman. C'est bien, ma fille, d'en être à la répétition générale, ou à la couturière, d'une scène qui va se jouer, parce que le temps est venu de la jouer, vois-tu, à cause de ma lassitude extrême qui te peine toi aussi, je le sais...

Première image, plus qu'un bon point, pour la petite élève, l'apprentie à l'école de la mort, avant même le compte à rebours final.

Fière de ta fille tu étais en savourant la tomate, à l'ombre du saule. Toute rieuse t'a rendue cette preuve visible de ma bonne disposition à apprendre. C'est cela, précisément, que tu attendais de moi : ce détachement, cette distanciation semblable à celle qu'exige l'écriture. Et moi, contre toute attente, voilà que j'ai bien voulu de ta fierté. Ta gaieté m'a gagnée comme devant un exploit, celui de ta mise à mort par l'écriture dont le rire était la récompense, le rire partagé.

J'ai pensé : Le rire ressemble aux larmes comme deux gouttes d'eau – sans les gouttes d'eau – quand on rit ensemble de quelque chose qui devrait faire pleurer.

J'ai prié les dieux que notre rire l'emporte sur les larmes quand, du petit muret, tu défierais la mort, en espérant que la force puisée dans le rire en rachèterait aussi l'incongruité...

★

★ ★

C'est bien le mot «incongru» qui me paraît le plus approprié pour dire le sentiment que j'éprouvais devant tes efforts pour banaliser ta propre mort.

Ce sentiment a été entre nous l'objet d'une discussion, d'un débat que je poursuis encore avec moi-même, bien que l'école soit finie et qu'ait été refermé le cahier à ton nom, la dernière page tournée.

La leçon intitulée «Banalisation de la mort», je n'ai pas voulu l'apprendre. Je l'ai sautée. J'ai fait l'impasse sur ce moment de l'apprentissage. Tu n'es pas parvenue à ce que j'en accepte ni l'intitulé ni, encore moins, le contenu.

Ton talent de pédagogue n'a pas eu d'effet sur mon opiniâtreté : non, la mort, même si elle est comme tu le disais «dans l'ordre des choses» (avec une insistance telle que j'ai fini par me demander si ce n'est pas toi-même que tu voulais convaincre), non, la mort, et encore moins la tienne, ne serait pas une petite chose.

À mes yeux, le fait d'être dans l'ordre des choses ne la banalisait pas pour autant. J'ajouterais même : au contraire.

Que d'après-midi, au début en particulier (à la fin, nous avons davantage veillé à économiser notre énergie, à l'utiliser autrement), nous avons débattu à propos de ces pages si controversées du cahier auxquelles je refusais de souscrire !

Sur ce point précis, ni toi ni moi n'aurons rien concédé, finalement. C'est au nom de la banalité, d'ailleurs, que tu avais décidé, avec tant d'apparente légèreté, la date du 17 octobre. Au nom de la banalité qu'elle fut annoncée comme celle d'un voyage, d'un projet parmi d'autres, à noter dans nos agendas, les quatre agendas de tes quatre enfants, en tenant compte de leurs emplois du temps, de leurs obligations respectives, dont tu connaissais le détail pour les accompagner assidûment de ton regard de mère attentive et tendre, notant sur ton agenda à toi les échéances de chacun, les événements particuliers qui nécessiteraient de ta part un regain de tendresse et d'attention vers l'un ou l'autre.

La date du 17 octobre avait été choisie – tu avais tenu à le préciser – pour «déranger le moins possible». Ta mort ne devait rien changer à notre quotidienneté ou si peu... Ne pas créer de désordre dans nos vies, ou si peu... Elle devait s'inscrire dans le cours normal des choses. Bien sûr, ce jour-là serait différent des autres, avec un rien de solennel, mais sans plus, un peu comme un jour d'anniversaire. C'est cela, un jour d'anniversaire.

Partir sans déranger tes enfants te paraissait le minimum. De quel droit une mère importunerait-elle ses enfants avec sa mort, à quatre-vingt-douze ans, je vous le demande ?

Elle part parce que c'est l'heure de partir, voilà tout ! C'est ainsi, ma chérie. C'est dans l'ordre des choses !

Je sortais de mes gonds quand tu entamais ce refrain fait d'un mélange difficile à suivre de stoïcisme, de fatalisme et de ferveur vertueuse.

«Mais maman, te rends-tu compte de ce que tu me dis là ?»

Oui, oui, tu te rendais compte. Cette volonté

de banaliser s'inscrivait dans une réflexion plus large, une vision éthique et hiérarchisée du monde, une philosophie de la vie où ton existence de vieille dame tenait peu de place.

Tu répugnais par exemple à appeler un médecin, ou même à abuser de médicaments, parce que, pensais-tu, une très vieille personne, si elle n'est pas partie, doit demeurer là sur la pointe des pieds, en catimini, faire déjà un peu la morte avant de bientôt l'être tout à fait, ne pas importuner de sa présence insistante les plus vivants qu'elle.

C'était une question de morale, pour ne pas dire de bon sens.

Aussi bien admirais-tu l'exemple de la tradition ancienne de certaines tribus indiennes où on trouvait juste que, se sachant parvenue à l'âge où elle pourrait bien devenir un poids pour ses proches, l'aïeule s'en aille mourir discrètement au fond de la forêt, aux premiers flocons de neige.

La difficulté, avec les principes, c'est leur pertinence pour soi-même. Moi aussi, je trouvais magnifique, par principe, l'exemplarité de l'aïeule indienne, mais cruelle, si cruelle ! Au chaud je souhaitais te garder, tout l'hiver durant, dans notre tipi. Je n'aurais pas voulu un flocon de plus dans tes cheveux de neige.

L'exemple de l'aïeule indienne, tu devais l'avoir à l'esprit lorsque, il y a de cela six ans, tu partis au Mali. Tu avais quatre-vingt-six ans. Au fin fond de la brousse tu te rendis, mais pas tout à fait sur la pointe des pieds, pas en catimini. C'est la sage-femme, autant que la femme sage, qui partait pour accomplir, là-bas, les gestes de l'enfantement appris, et jamais désappris, disais-tu fièrement, avec l'idée – et un peu, peut-être, l'envie – d'y rester, dans la brousse, de n'en revenir jamais, de t'évanouir au petit matin comme la vieille Indienne, sans te retourner.

La question de ce non-retour possible, tu l'as résolue sans détour, et non sans humour, par une demande si spectaculaire qu'elle demeure, et demeurera, légendaire. Tu as émis le souhait hardi, et pour le moins novateur, «au cas où ta vie s'arrêterait là-bas», d'être jetée en offrande aux crocodiles du Niger, ou de toute autre rivière, favorisant ainsi le cycle de la nature. J'ai sous les yeux la demande écrite de ta main, de cette écriture déliée, appliquée, comme toi sur la feuille, pour être au plus juste des mots et de la pensée. Le comble est que tu es parvenue à la faire ratifier par tes quatre enfants.

Interloquée, j'ai signé ce document inouï sans y croire un seul instant. À tort : il fallait te croire. Je le mesure trop bien aujourd'hui. Tu serais arrivée à tes fins car tu avais arraché la même promesse à un médecin de Bamako, celui qui, inquiet d'une mauvaise plaie à ta jambe, avait parcouru pour te voir les cinq heures de piste jusqu'à ton village et s'était vu grondé, rabroué rudement pour ce zèle déplacé. Comment ! Des heures de brousse pour soigner une vieille de quatre-vingt-six ans, alors qu'elles étaient des dizaines de femmes au village à attendre, en vain, depuis des semaines, *le* docteur, vous trouvez cela convenable, vous ?

Enfin, aux crocodiles tu as renoncé de toi-même quand tu as vérifié, sur les conseils d'U., la rareté des rivières alentour. Le festin des crocodiles, c'était beaucoup de dérangement pour les humains. Aussi te restait-il le don de ton corps à la faculté de médecine locale, puisque aussi bien en avais-tu pris la décision, depuis des décennies, à Paris, volonté qui rendait décidément peu poétique l'image de ta mort, même si, là encore, j'en comprenais le geste...

Je souris, tu sais, en écrivant ces lignes. Je souris à cette part de toi qui te rend unique, pas seulement parce que tu es ma mère, mon unique mère, mais pour ton aptitude inégalable à la facétie, pour ne pas dire la loufoquerie, qui m'ébahit, non : qui m'éblouit, car l'excentricité dont tu es capable est sans calcul, sans artifice. Elle est tout simplement naturelle. Tu es naturellement stupéfiante, et particulièrement là où on t'attend le moins. J'ignore comment tu as pu sauver de ton éducation scrupuleuse, de ton âpre sens du devoir, de ta conscience morale surchauffée, cette disposition à l'excentricité, mais le fait est qu'elle existe, qu'elle te transcende, au point parfois que je ne peux m'empêcher de penser qu'elle a joué un rôle dans ta relation à la mort, à ta propre mort, ce qui n'exclut bien évidemment pas la dimension philosophique de ton engagement concernant la fin de vie.

Cette originalité, essentielle, semble irréductible, comme si elle t'échappait, te dépassait, te rendant à mes yeux plus précieuse, plus séduisante encore.

Me voici revenue à l'incongruité et en particulier à cette volonté de banaliser, à tout prix, les choses de ta mort. L'excentricité n'y est pas étrangère. Elle la nourrit de sa démesure. Extravagante m'apparaît cette volonté têtue et si peu banale, au fond, de banaliser.

J'ai le souvenir de t'en avoir fait la remarque, d'avoir mis le doigt sur ce paradoxe. Tu n'étais pas contre, même si tu trouvais que je pensais trop... J'ai dû te dire alors que de penser trop m'aidait à ne pas penser à ça. Ça, ton geste – je n'arrivais pas à lui donner de nom, mais surtout pas celui de suicide, si hideux à dire, à penser, et si éloigné de l'image que tu voulais donner de ta résolution. Que parler du sens du geste en permettait l'abstraction. Puis j'ai éclaté :

Non, tu ne me ferais pas admettre l'idée, séduisante elle aussi, que ta mort passe sur moi comme un voile noir d'un jour ! Non, le jour de ta mort ne serait pas, ne devait pas être ni plus ni moins qu'un jour anniversaire, car le jour de ta mort serait un peu la mienne, quoi que tu fasses !

J'ai revendiqué le chagrin, le désespoir. J'y avais droit, moi, ta fille, à ma souffrance ! Elle m'appartenait, à moi, moi seule, cette douleur ! C'était ma liberté de souffrir !

Toi, ma mère, qui n'en voulais pas, pour me protéger, bien sûr, de moi-même, et – je ne le comprendrais que plus tard – pour te protéger de toi-même aussi, tu n'y pouvais rien ! Rien contre cela ! Tu n'étais pas en droit d'empêcher la souffrance d'une fille privée brutalement de sa mère !

Chacune son rôle. Chacune son choix. À toi celui de ta mort. À moi celui des lamentations légitimes.

Et j'en ai rajouté – une tendance naturelle –, je me suis déclarée à l'avance, et pour toujours, inconsolable, en m'agitant beaucoup, la voix dans les aigus, les mots dans les aigus, avant que je m'aperçoive que… tu riais.

Sans ostentation, avec bonté, tendrement, mais tu riais !

J'ai dû te détester une demi-seconde, bon, une seconde entière, le temps de redescendre des cimes de l'aigu, du pic de l'exaspération, jusqu'à ce que je sente ta main sur la mienne et que ton rire frais décourage mes larmes d'orpheline.

Encore le rire... Nous accompagnera-t-il, ainsi, de sa magie, tout au long de ce voyage vers ta mort ? Sera-t-il pour nous deux l'antidote idéal au tragique ?

Je t'ai prise dans mes bras. Je voulais que ton rire me pénètre, qu'il entre en moi. M'imprégner de son pouvoir souverain.

En te serrant, j'ai eu l'impression, déjà éprouvée, que tu étais plus petite que la dernière fois. J'ai pensé : C'est une drôle de chose quand on a été la petite d'une mère qui vous a dominée de toute sa puissance, de la sentir si chancelante, si près de défaillir, et pourtant c'est encore de toi que venait toute la force de ce rire salvateur que je tétais avidement...

Après la pause du rire, il m'arrivait de repartir à l'assaut de tes arguments, ou bien, tout simplement, nous parlions d'autre chose...

N'est-ce pas extraordinaire que nous ayons été capables, aussi, de parler d'autre chose, comme si de rien n'était, comme si nous avions, pour causer, toute la vie – toute ta vie – devant nous ?

Car le catimini, la pointe des pieds, avait ses limites. Tu ne te sentais pas interdite de participer, à ta façon, au tumulte du monde (dans lequel, jusqu'au bout, tu es demeurée engagée, tous ceux qui t'ont approchée le savent), prenant position, t'informant, l'esprit critique en alerte, impétueuse, sautant du coq à l'âne, d'une péripétie politique à une remarque sur la couleur de mes cheveux, d'une injustice morale à l'analyse pointue de nos cœurs de femmes.

J'ignore si pendant ces conversations ardentes, ces partages de mère à fille, de fille à mère, d'une merveilleuse liberté, tu parvenais à ne plus penser qu'ils étaient comptés, ces moments, à présent que la date, la nouvelle date, était dans ta tête. Je ne t'ai pas posé la question. Je dirais oui et non.

Oui, parce que rien dans ton attitude, tes propos, ton intérêt pour les choses n'avait changé. Tu étais la même, invariablement la même, à questionner, à plaisanter, à t'assombrir, à t'émouvoir, à t'offusquer, à jubiler, à compatir, et pourtant non, parce que si on écoutait bien, si on regardait bien, une remarque ou un geste venait me rappeler à l'imminence de ta disparition, comme pour t'assurer qu'elle était bien inscrite dans ma mémoire, que j'en tenais toujours compte à l'horizon de ma conscience.

Une ou deux fois – le premier mois de ces trois mois d'extravagance – j'ai protesté contre cette insistance que je trouvais tyrannique :

« Écoute, maman. Je n'oublie pas. Cesse de me torturer ainsi. Ces heures que nous partageons, je veux les vivre, sans ce rappel obsédant. Tu gâches tout avec tes allusions ! Pourquoi, pourquoi fais-tu cela ? »

La candeur de ta réplique me laissait muette, déboussolée : « Mais, ma chérie, ce n'est pas par cruauté, pas du tout ! Je fais cela pour que tu t'habitues, pour que tu te familiarises avec l'idée de ma mort. La mort s'apprivoise, tu sais !... »

La mort volontaire de sa mère s'apprivoise ? Que peut-on penser d'une telle objection, sinon que ça n'allait pas dans *ta* tête ou que ça n'allait pas dans *ma* tête, ou bien encore que ça n'allait pas, ça n'allait plus, plus du tout, dans nos deux têtes gigognes ? Le pire est que tu accompagneras cette réponse, parfaitement incompréhensible, inaudible, d'un regard où pouvait se lire toute la tendresse faite mère...

*

* *

Je suis penchée sur ma feuille. Je m'applique. On s'applique à huit ans. Après l'école, comme chaque soir de ces années bénies, dans un coin de ton infirmerie, je fais mes devoirs du soir, à tes côtés.

Je veille à ne pas tacher d'encre le blanc immaculé de ta paillasse – c'est ainsi que tu nommes la haute table en carrelage où tu ranges tes flacons –, car tu m'acceptes pourvu que je ne dérange pas.

Je suis la petite souris très indiscrète du défilé ininterrompu des garçons, de ces adolescents réfractaires qui ont atterri dans ce centre dit de «perfectionnement» dont notre père a la charge et où tu le secondes, à grand renfort de Mercurochrome et de paroles d'apaisement.

Quand les choses deviennent un peu plus intimes, tu me demandes de sortir un moment et je piaffe de curiosité et d'impatience derrière la porte, mais en général j'assiste au rituel des soins. Je n'en perds pas une miette.

Ce doit être ici que j'ai appris que les bobos du corps et de l'âme font un bien étonnant duo.

Grâce à toi que j'en ai plus tard décliné, de livre en livre, les harmonies et discordances.

Le pansement posé sur un coude ou un genou n'était rien à côté des mots qui l'accompagnaient. Je l'ai compris aussi, précocement.

Ta toute-puissance s'est imposée à moi quand ta blouse, blanche comme le carrelage sous mon cahier de devoirs, virevoltait autour de ces écorchés en révolte qui sortaient de tes mains pansés corps et âme et le sourire aux lèvres.

À triompher de tant de tourments, qui me paraissaient insurmontables chez ces sortes d'orphelins à qui tu tenais lieu de mère, je t'ai crue invincible. De te croire invincible, je t'ai crue immortelle. Une bien mauvaise croyance. Une bien dangereuse habitude que cette croyance.

Tu n'as pas oublié ce soir particulier où, le dernier soin donné et mes devoirs finis, nous avons quitté l'infirmerie pour rentrer à la maison, traversant le parc, à la nuit tombante, sous les grands arbres agités par le vent. Ce qui s'est dit alors (nous l'avons si souvent évoquée, cette scène) fait partie de notre anthologie commune, de la complicité gigogne mais dans une autre posture cette fois : celle d'une mère et de son enfant, marchant enlacées, serrées l'une contre l'autre, sous le vent de novembre et la menace du ciel.

À toi, l'invincible, l'immortelle, j'ai déclaré ma flamme de fille à la fois comblée et anxieuse, le vent était trop fort, le ciel était trop bas : «Tu sais, maman, à l'école aujourd'hui, j'ai dit à (suivait le prénom de l'amie, la meilleure amie du moment), j'ai dit que je t'adorais. Eh bien, tu sais ce qu'elle a répondu ?

– Non. Qu'est-ce qu'elle a répondu ?

– Elle a dit : On adore que son Dieu !»

J'entends ton rire. J'entends ta réponse enjouée tandis que tu resserres davantage l'étreinte de nos deux corps pris dans la bourrasque :

«Elle a un peu raison, ton amie. Que tu m'aimes me suffit, ma chérie.

– Oui, ben moi, je veux t'adorer !» ai-je affirmé tout haut, gardant pour moi-même la fin de la phrase, qui me poursuivra longtemps et secrètement comme un talisman, car les derniers mots restés secrets : «comme ça jamais tu ne mourras !» je me suis interdit de les prononcer. Les dire eût été sacrilège.

Dès cet instant, je leur ai conféré un pouvoir

merveilleux, enchanteur, comme seule sait le faire une petite fille que le blasphème attire et effraie tout à la fois, une vertu magique qui m'imposait le silence.

À mes yeux superstitieux, l'adoration, en effet, ne faisait qu'un avec l'immortalité. Je n'arrivais pas à les séparer l'une de l'autre, pas plus que toi de moi, serrées, enlacées sous les grands arbres du parc agité par novembre. Quoi qu'il en soit, la meilleure amie de l'époque et toi-même aviez toutes deux flairé en moi un symptôme grave, probablement inguérissable: mon amour était idolâtre et obsessionnelle ma crainte de te perdre.

De cette hantise viendront singulièrement ma faiblesse et ma force face à ta mort annoncée. Inimaginable sera l'odyssée qu'elle m'obligera à accomplir pour arriver à bout et de la croyance et du sacrilège enfantin, sans pour autant les trahir ni l'une ni l'autre. On ne trahit pas l'enfant qu'on a été, n'est-ce pas ?

«Jamais tu ne mourras»... Ce désir d'enfant trop aimante m'a tant habitée qu'aujourd'hui ce défi à ta mort laisse un vide étrange plus doux qu'amer, que je n'ai pas comblé parce qu'il ne peut pas l'être. Un vide miraculeusement serein, non : paisible, que je veux raconter, te raconter à toi d'abord, qui l'as rendu possible...

Plus d'un mois avait passé depuis que le compte à rebours s'était mis en marche à une cadence que je ne contrôlais paradoxalement que lorsque j'étais avec toi, en ta présence. Mystère. Je n'avais pas encore admis que tu puisses être à la fois l'objet de ma souffrance et cependant la seule à pouvoir la soulager, comment tu pouvais être à la fois cause et remède d'un mal pour lequel je n'imaginais aucun pansement. Je ne voulais pas la voir la blouse blanche qui pourtant virevoltait nuit et jour autour de ma tête affolée par le balancier, tant m'aveuglait l'épouvante.

Plus tard, je comprendrais. Plus tard, je la verrais. J'entendrais les mots qui referment la plaie en même temps qu'ils l'ouvrent et je comprendrais pourquoi tu l'as toi-même ouverte d'un coup de lame guillotine.

Guillotine ! Quel mot épouvantable ! Quelque chose avait dû changer dans ma tête d'écolière car il ne convenait plus, plus du tout depuis que les pages du cahier à ton nom écrit en lettres noires tournaient sur mon pupitre.

Guillotine ! Le mot était bien trop sanglant ! Elle faisait de toi un bourreau que tu n'es pas. Un être féroce que tu n'es pas.

Quand la date était tombée, en six mots d'acier, dont je n'avais vu que la lame tranchante, j'avais dû oublier que j'avais fait beaucoup, déjà, pour m'y préparer.

Le froid qui m'avait pénétrée, me glaçant jusqu'au sang, m'avait fait perdre jusqu'à la mémoire de mon consentement, sauf quand un pénible sentiment de honte venait à me le rappeler. Comme une amnésie. Une absence due à la violence du «couperet».

J'avais dû changer puisque, en dépit du compte à rebours, les choses me revenaient à certains moments plus posément, calmées, telles qu'autrefois je les vivais, bien avant, avant l'annonce. Je parvenais de nouveau à me souvenir que j'avais donné mon accord, plein et entier, que j'avais toujours approuvé ta décision de mettre fin à tes jours quand tu jugerais le moment venu, accepté que tu sois maîtresse de ta mort, instant essentiel pour toi, de ta vie, ta vie de femme libre.

Ce choix, longuement prémédité, médité, tu l'avais pensé, mûri philosophiquement. Il était devenu une exigence de l'esprit, mieux : un engagement, une action militante, menée au début avec notre père, puis après son départ à lui, seule, et plus motivée encore. D'ailleurs, jusqu'à la fin, tu parraineras l'association qui en soutenait le combat, de ton ardeur rigoureuse, infaillible.

Tout cela, oui, je l'avais bien en tête. J'en avais intégré le cheminement moral et intellectuel. J'en avais partagé la légitimité, l'implacable logique.

Le droit à mourir dans la dignité t'était devenu devoir, et ce devoir j'en avais adopté le principe. J'en admirais la pertinence jusqu'à y songer pour moi-même, si un jour, moi aussi, je me sentais confrontée à une forme possible d'indignité.

Tout était dans la définition de l'indignité. Où celle-ci commençait-elle ? Selon quels critères ? Jusqu'à quelles limites de l'insupportable ?

Sur ces questions j'ai tant débattu, je me suis tant débattue aussi, avec toi, d'abord et surtout, mais également avec la petite poignée de ceux qui avaient été mis dans la confidence et suivaient, attentifs, et un peu effrayés je crois, les affres du compte à rebours.

Étrangement, c'est lorsque ta décision était contestée que je volais sans hésiter à ton secours. Je bataillais, je défendais ton droit, je m'extasiais sur ta force d'âme, ton courage, puis, la victoire remportée – du moins me semblait-il –, je retombais dans un doute affreux. Alors, à la source de cette angoisse, vers toi, donc, qui en étais la cause, je revenais chercher la force de te défendre encore une fois, car seule ta certitude fortifiait la mienne :

« Maman, es-tu sûre que c'est le moment ?

– Oui, ma chérie, je suis sûre. Je le sais. Je le sens. Moi seule peux le sentir, le savoir. »

Toi seule ? Évidemment toi seule ! Qui d'autre que toi pouvait en effet les apprécier, dans leur réalité, les fameuses limites de l'insupportable, puisque aucune puissance supérieure, en dehors de ta propre conscience, ne dictait ta pensée et tes actes ? Qui d'autre pouvait s'arroger le droit de contester ou de s'opposer à l'intime conviction de ta dignité ou de ton indignité ? Tes enfants ? Au nom de l'amour ? Non, non, même pas eux !

Que savions-nous réellement de ce corps de mère maintenant si défait, usé, de cette tête, aujourd'hui si lasse ? Nous n'étions pas toi, tout simplement. Finie, la fusion. Nous étions nés. Nous étions autres. Quant à l'amour, il n'était d'aucune aide pour combler l'impossible distance de l'enfant à toi, à moins de le contraindre, de le tordre, de lui faire accepter l'inacceptable : l'absolu arrachement.

Au nom de l'amour, après bien des torsions, bien des contraintes, j'ai senti que mon droit à moi, mon droit d'enfant à te vouloir encore près de moi, allait contre l'amour lui-même. Paradoxe sans issue que ce paradoxe ?

Tu savais, toi, que je l'avais déjà vécu un jour, que j'y avais été, pour mon malheur, confrontée. J'avais dû le vivre, moi, jeune femme encore, encore jeune épouse, avec celui qui s'en allait, qui s'arrachait à moi pour toujours après la fusion d'amour.

F. aussi m'avait annoncé sa mort, m'avait

suppliée, au nom de l'amour, de le laisser partir...

«Mais ce n'était pas la même chose ! F. était malade, mourant ! Il n'en pouvait plus de souffrir ! Il implorait le droit d'être soulagé des quelques jours qu'il lui restait à vivre !»

Tu ne répondais pas. Tes yeux répondaient. Ils disaient que si, si, c'était un peu la même chose, même si ce n'était pas tout à fait la même chose. J'entendais ce que disaient tes yeux. Ils disaient que le temps de partir était venu et que, pour le comprendre, il me fallait accomplir, dans un même geste, vertigineux, la fusion et la défusion – la fusion pour ne faire qu'un avec l'autre, le saisir de l'intérieur, la défusion pour accepter d'être deux, puis se retirer sur la pointe des pieds, jusqu'à l'arrachement, la déchirure, le déchirement.

Le déchirement. Dire «Oui, tu peux mourir maintenant» à celui qu'on voudrait garder. Dire «oui» à l'être aimé qui veut partir, même s'il souffre, que son corps rongé par le mal fait mal. Le déchirement, faudrait-il le revivre avec toi dont les jours n'étaient pas en danger, toi qui pouvais vivre encore ? Encore je voulais te garder. Je redoutais, plus que tout, le déchirement, la déchirure. Je n'imaginais pas qu'elle puisse se faire sans violence extrême. Là aussi, je me trompais. J'avais tout simplement oublié que tu étais aussi sage-femme…

*

* *

Mercredi 16 octobre. Anniversaire, premier jour de mes jours. Je ne t'ai pas tout dit.

Un jour anniversaire, on ne se réveille pas comme pour un jour ordinaire. Le jour anniversaire est en surcharge d'émotions.

À l'état du moment – heureux ou malheureux – s'ajoute quelque chose d'autre qui n'est pas prévisible dans ses effets : la conscience aiguë du temps et, souvent avec elle, en un éclair, la mémoire de tous les anniversaires d'avant, avant celui-là, dans une seule et unique pensée qui les confond tous et nous rend nostalgiques, parfois, souvent, toujours.

Le jour anniversaire, dès que j'ouvre les yeux, je pense à toi qui m'as faite fille, à la posture première de toutes les postures à venir de mère à fille, de fille à mère, à notre tout premier dialogue.

Le 16 octobre 2002, quand mes yeux se sont ouverts, l'ombre de la mort a fondu sur moi.

Quand j'ai ouvert les yeux, je n'ai vu ni la beauté flamboyante de l'automne ni la grâce pure des lis offerts par l'aimé. Seul le noir de ton nom sur le cahier dont je tournais les pages, obstinément.

Arrivées ensemble au courrier et semblant ne faire qu'une: ta carte d'anniversaire et la lettre d'A., mon enfant à moi – qui n'avait pas oublié non plus – de l'autre côté de l'Atlantique, ont redoublé les larmes.

La première parlait à la fille, la deuxième à la mère, dans le même élan de tendresse pure. La mère que j'étais se sentait comblée, la fille abandonnée.

Impossible, ce matin-là, de réconcilier les deux, de voir le lien qui les unissait dans «l'ordre des choses» auquel tu tenais tant. Impensable de consentir à ce que la fille s'efface pour n'être plus que la mère, bientôt, très bientôt.

Le penser eût été accepter que la naissance et la mort soient indissociables. Toi, tu le savais, bien sûr, moi pas tout à fait encore, alors.

Ce matin-là, j'ai dû pleurer ma mort en même temps que la tienne.

Il m'a fallu lire, en même temps que les deux lettres arrivées au courrier du matin, chaque ligne du cahier à ton nom car chaque ligne en expliquait le sens, les reliait l'une à l'autre dans la leçon intitulée «Jour anniversaire».

Cette leçon du 16 octobre 2002, je n'ai pas pu la sauter, en faire l'impasse. Sans elle, je n'aurais pas compris les pages suivantes. Je me serais arrêtée net, en plein milieu de l'apprentissage, incapable d'avancer et plus encore de rebrousser chemin, au milieu du gué, et, j'en suis certaine maintenant, démunie.

Sans le jour anniversaire, je n'aurais pas pu te rejoindre. Je ne t'aurais pas suivie jusqu'au bout, là où nous avions toi et moi un peu rendez-vous, et où, sans m'en douter, j'avais rendez-vous avec moi-même puisque avec ma naissance et ma mort confondues. Je t'aurais laissée partir seule, comme la vieille Indienne aux premiers flocons de neige, et je ne serais pas, aujourd'hui où je te parle, celle que je suis devenue, grâce à toi.

Dans le compte à rebours, le décompte du

temps aussi, j'étais en plein milieu, ce lieu charnière et d'équilibre où le cahier s'ouvre et se referme, à une page près, pourvu que l'on veuille, ou non, la tourner.

Interminable le jour anniversaire et difficile à tourner la page qui déciderait de tout : que le cahier reste ouvert ou qu'il se referme ! Je ne t'ai pas tout dit…

Le pire a été l'instant de ma naissance, à la mi-journée, à cause du rituel qui, depuis toujours (on dit «toujours» quand on ne sait plus trop bien où remonte le plus lointain souvenir tant, précisément, il est lointain), le rituel qui, depuis toujours donc, accompagnait cet instant, où que nous soyons, toi et moi.

À la seconde même de ma naissance, le téléphone sonnait. C'était toi. Tu ne prononçais aucun mot. Aucune phrase. Tu ne t'annonçais pas. Non, simplement, après un silence insolite qui me semblait durer des siècles, tu imitais le vagissement de l'enfant qui naît. Et moi, je riais de l'entendre, de t'entendre. Je m'écoutais naître puisque c'était moi, par ta voix, qui venais au monde, avec un an de plus, à chaque anniversaire…

D'où t'était venue cette trouvaille ? Est-ce la mère ou bien la sage-femme, aux oreilles emplies de cris de nouveau-nés, qui en avait eu l'idée ?

Quoi qu'il en soit, année après année, je ne serais pas née vraiment sans le vagissement, sans ce cri, mon cri de fille, répercuté à l'infini par ton corps de mère qui, avec moi, invariablement, inlassablement, revivait l'enfantement.

C'est dire comment et combien je t'attendais ce 16 octobre. Comment et combien j'espérais le cri de ma naissance au monde dont je savais qu'il serait le dernier.

À l'heure dite, je me suis assise près du téléphone posé sur la table parmi les fleurs qui, depuis le matin, s'étaient multipliées comme autant de mains amies tendues pour me fêter. J'étais prête.

J'étais prête. Mais, à l'heure dite, le téléphone est resté silencieux.

Ce n'était jamais arrivé que, à l'heure dite, tu ne m'appelles pas, que je n'entende pas mon cri de nouveau-née.

Le téléphone qui doit sonner, et ne sonne

pas, fait du bruit dans la tête de celui ou de celle qui l'attend en vain.

La date du 17 octobre, première date annoncée de la mort annoncée, je ne l'avais pas oubliée non plus. Comme elle avait obsédé mon réveil morbide, elle hantait maintenant le silence bruyant et confus de ma tête tournée vers le combiné parmi les fleurs amies, impuissantes à me soutenir.

À cause d'elle, de cette première date couperet du 17 octobre, je t'ai crue morte.

Répétition générale ou couturière en costume de scène ? Tu étais morte. Seule ta mort pouvait expliquer ton absence à l'heure dite.

J'ai senti le froid. Le froid de l'enfant née du silence, d'une bouche muette qui ne pousserait plus le cri, le vagissement de bienvenue.

Et puis, les minutes passant m'éloignant de l'heure dite, je suis revenue à plus de réalité. Je me suis calmée, assez pour me réchauffer, interroger ce silence inconcevable, incompréhensible.

Tu ne pouvais pas avoir oublié. C'était impossible, surtout pas aujourd'hui. Alors quoi ? Pourquoi me faisais-tu languir ? Pourquoi n'étais-tu pas au rendez-vous de la naissance ?...

Soudain, tout s'est éclairé. Mes yeux se sont ouverts.

Je t'ai imaginée, je t'ai vue vivante, bien vivante cette fois, près de ton téléphone, dans ta maison. Tu attendais. Tu attendais que j'attende moins. Tu attendais que je n'attende plus. Plus, exactement : que j'apprenne à ne plus attendre cet appel rituel, justement cette année, cette dernière année, justement parce que tu étais encore là, encore là pour me l'apprendre, me faire passer, avec toi, toi présente, de la présence à l'absence.

Sur le moment, je n'ai pas formulé aussi clairement les choses – c'est aujourd'hui qu'elles me paraissent claires, à la lumière de bien d'autres scènes que j'ai vécues avec toi, après celle-ci –, mais j'en ai eu l'intuition.

Sans doute attendais-tu, près de ton téléphone, également, que je me calme (ce que j'ai fait), que j'interroge l'inconcevable (ce que j'ai fait), que je me réchauffe du froid de l'absence (ce que j'ai fait) afin de ne pas me trouver dans un bouleversement trop grand. Trop grand pour toi aussi.

Tu nous as protégées, toutes deux, d'un excès d'émotion qui nous eût brisées, je crois.

Le cri de l'enfant, née de toi, le vagissement, qui sait s'il serait sorti de ta gorge émue ? Et moi, qui sait si j'aurais pu en rire, de cet instant, ludique et solennel, où nous revivions, pour la dernière fois, la toute première posture ?

Tu as eu raison de nous épargner. Bien fait de vouloir empêcher que le cri ne devienne larmes, le vagissement, sanglots.

Plus tard, un quart d'heure après l'heure dite, tu appelais :

« Maman !

– Oui, c'est moi, ma chérie.

– Tu ne m'as pas oubliée !

– Non, non ! Bien sûr que je ne t'ai pas oubliée !... Mais j'avais un doute sur l'heure exacte, tu comprends ?

– Oui. Je comprends. (Je comprenais, oui, le mensonge pieux.)

– Alors, cet anniversaire ? Tu as été gâtée, j'espère !

– Écoute, maman !... Je ne peux pas dire que cet anniversaire soit le meilleur de tous les anniversaires... »

Sur ces mots, ma voix m'a échappé. Vers la brisure, j'ai senti qu'elle s'en allait...

Tu m'as interrompue :

« Surtout, ne pleure pas ! »

Semblable au « N'aie pas peur » et sur le même ton que lui, qui n'appartient qu'à toi, d'extrême fermeté et d'extrême tendresse, le « Ne pleure pas » ressemblait à tous les « Ne pleure pas » que j'avais pu entendre de ta bouche.

Comme le « N'aie pas peur », le « Ne pleure pas » s'adressait à tous mes pleurs de fille et de femme, les futiles et les graves, les consolables et les inconsolables. Pourtant, de nouveau, comme au soir de l'annonce où j'avais surpris sur ton visage chaviré la mouillure des larmes, c'est toi, davantage que moi, qui m'as semblé le plus en danger, la plus fragile. J'ai pensé : Ce sont tes larmes à toi que tu veux refouler en interdisant les miennes. À toi-même que s'adresse le « Ne pleure pas » ferme et tendre.

Aussitôt et instinctivement, aussi vite que me le permettaient l'émotion et la surprise, je me suis reprise. Cela n'a pas duré plus de quelques secondes mais je l'ai bien senti : l'équilibre était menacé. Tu fléchissais. Et si tes bras auxquels je m'arrimais venaient à flancher ?

Le temps que je m'en inquiète, que je trouve

la parade, toi aussi tu t'étais reprise. Mais nous l'avons sentie tanguer, n'est-ce pas, notre balançoire ?

Alors je t'ai raconté les fleurs, les lis et les roses qui fêtaient ma naissance. Alors je t'ai dit comment ta carte et la lettre d'A., arrivées ensemble et semblant ne faire qu'une, avaient comblé en moi et la mère et la fille, comme j'en trouvais beau le symbole évident, dans l'ordre des choses, un ordre auquel tu avais participé, plus qu'aucune autre mère puisque tu étais présente, toi la sage-femme, à la naissance d'A., l'enfant de ton enfant...

Lorsque nous avons raccroché, sur quelque chose de gai dont je n'ai plus le souvenir, me sont revenues les images fortes de ce moment de grâce où A. était né, le sentiment que j'avais eu alors que la venue au monde de mon enfant ne pouvait se dissocier de ma propre venue, dont elle était le prolongement en même temps que la répétition, parce que tu étais là, présente dans la salle d'accouchement, surtout pour m'en convaincre, toi la preuve vivante de cette alchimie, femme doublement, sage qui plus est.

Tu ne m'as pas dit alors que, grâce à cette

prouesse de la nature, tu pourrais plus facilement t'éclipser (on ne dit pas ces choses quand on fête la vie), mais je suis sûre que l'as pensé. Tu as dû penser que cette naissance (ainsi que celles, forcément, des autres petits-enfants qui l'avaient précédée) rendrait plus légitime encore le fait que tu te retires, aussi naturellement que l'enfant de l'enfant était venu.

Si souvent nous avons pensé ensemble sans dire – dans les grands moments plus encore – que je n'exclus pas d'avoir un peu perçu, quand le premier cri d'A. a retenti, qu'en même temps tu mourais un peu.

Je me demande si tu n'as pas pour moi commencé à mourir vraiment dans ce cri de vie qui répercutait le mien, en écho à ma naissance.

Je dis «vraiment» au sens de «réellement», car je t'ai fait mourir tant de fois ! Mon enfance est pleine de ces mises à mort fantasmatiques que mon imagination puisait dans l'idolâtrie liée à la peur de te perdre...

J'ai raccroché, donc, et je me suis sentie soulagée, comme après avoir surmonté une terrible épreuve au double sens du mot, de la souffrance et de l'examen.

J'ai fini par comprendre que, avec toi, je venais de vivre mon premier anniversaire sans toi. Je n'avais pas pleuré.

La page charnière du cahier à ton nom écrit en lettres noires venait-elle de tourner du bon côté ? Je le crois, car j'apercevais déjà les pages suivantes. Je ne pouvais plus désormais marcher à reculons, refuser d'aller de l'avant. J'avais passé le gué. Le gué du refus, de la révolte. Je m'inclinais. Je n'étais pas vaincue, non. Tu m'avais convaincue. Non pas de ta force, sur laquelle je n'avais aucun doute, mais de la mienne. Je n'avais pas pleuré. Moins insurmontable me paraissait soudain le reste, tout le reste des épreuves, de l'épreuve.

Tu étais bien l'unique, la seule à pouvoir me la faire vivre car tu me tenais, tu me tenais bien, toujours, au-dessus de l'inconnu.

Je venais de naître sans crier, sans pleurer, et j'étais vivante.

L'enfant mort-née n'était qu'une chimère, un être tout droit venu de l'épouvante.

Bien sûr, j'avais peur, j'aurais peur encore, mais plus au point d'en mourir. Ta mort annoncée ne devait pas, ne pouvait pas signifier la mienne. Voilà ce que je venais d'apprendre de ta leçon intitulée «Jour anniversaire», en plein milieu du cahier, en plein milieu du compte à rebours.

Aujourd'hui que le cahier s'est refermé, d'un dernier coup de balancier sur l'horloge du temps, tu sourirais, j'en suis sûre, des lignes qui vont suivre... Tu aimerais, j'en suis sûre, la manière dont j'ai inversé l'image anniversaire de la naissance et de la mort, comme j'ai tordu le cou au symbole.

Encore la posture. Si efficace la posture pour me faire comprendre, me comprendre moi-même. Les morts aussi ont leur posture, sais-tu ?

Je t'ai raconté, déjà, pour F., combien particulière est sa posture de mort auprès de moi, vivante, sa façon à lui de m'accompagner encore. Je le sens, le plus souvent, debout derrière moi. Il est légèrement incliné au-dessus de mon épaule droite, comme s'il voulait voir ce que je fais, à quelle tâche je suis occupée. L'impression est nette, au point que, parfois, je peux sentir son souffle sur ma nuque, ce souffle qui lui a tant manqué, à lui, pour vivre. Et c'est doux, très doux. Il n'a jamais cessé de se tenir ainsi, dans cette attitude attentive et tendre.

J'ignorais quelle serait ta place à toi lorsque tu serais partie. Quelle place tu choisirais pour te tenir près de moi, au plus près, ou plutôt quelle place je te donnerais pour demeurer sous ton regard. J'avais imaginé une posture un peu gigogne, bien sûr, à cause de la photographie dans le jardin du bord de mer, de tous nos embrassements, nos emboîtements mère-fille.

J'ai fait mieux encore. Tu as fait mieux. Tu es venue occuper ma place. Tu t'es lovée en moi. C'est du moins ainsi que j'imagine la façon très organique, aussi organique que ma peur, avec laquelle je t'ai intégrée, à peine partie, à peine sortie de la vie.

Juste retour des choses... C'est moi qui désormais te porte, comme l'enfant. C'est ça, ta posture de mort, la posture que je t'ai choisie pour la vie. On ne peut pas être au plus près, n'est-ce pas ?

Je mesure l'étrangeté de mes propos, leur naïveté aussi. Moi, ta fille, je te dis que je te porte ainsi que tu m'as toi-même portée, avec la certitude heureuse que je ne te perdrai pas.

Nous serons toujours une, plus jamais deux, enfin dans la fusion sans défusion, puisque jamais je n'accoucherai de toi. Tu es en moi pour toujours. La sage-femme appréciera...

*

* *

En étais-tu consciente ? Tu multipliais les indices. En recoupant les informations, lâchées ici et là, je pouvais situer maintenant la date probable de ton geste : dans les deux premières semaines de décembre.

De nouveau m'est revenue la compulsion du calendrier. Dans l'agenda, l'étau se resserrait. Sur mon cou, il se resserrait.

L'image de la peine de mort a fait également son retour, mais plus comme au début. Je trouvais des stratagèmes pour en adoucir l'évocation, la rendre supportable.

Tu m'aidais à parler de ta mort. Sans pour autant banaliser son approche puisque je m'y refusais toujours, tu l'effleurais à petites touches, simples et dépouillées de tout pathos. J'avais l'impression que l'infirmière, virevoltant dans sa blouse blanche autour de mon âme à vif, s'ingéniait à la vacciner contre la douleur, à l'immuniser pour la mieux préparer à ce qui allait lui arriver.

Parfois, je n'en revenais pas, moi-même, du succès de tes soins. C'est moi-même qui me surprenais à en rappeler l'échéance. Aussitôt, tu te glissais dans la brèche que j'avais ouverte, soulagée qu'elle le soit par moi, et tu profitais de ces moments d'acceptation pour m'amener plus loin encore dans la connivence. Nous riions souvent, y compris de cela, et, de nouveau, le rire fini, je ne savais plus bien comment j'avais pu rire.

Je me souviens à ce propos comme t'avait amusée l'anecdote racontée par Fa., ma nièce psychologue, recevant dans son cabinet un petit garçon envoyé par ses parents fort inquiets d'entendre l'enfant se prononcer pour la peine de mort et en revendiquer avec ostentation l'absolue nécessité. En interrogeant le bambin, qu'on s'inquiétait de trouver si cruel à son âge, Fa. avait fini par comprendre. L'enfant avait fondu en larmes en protestant de toute sa force : « Mais c'est bien, la peine de mort ! C'est normal d'avoir de la peine quand quelqu'un est mort ! »

Génie de l'enfance qui transformait la punition en chagrin !

Ne l'avais-je pas revendiqué, ce chagrin-là, pour la peine infligée ?

Mais toi, disais-tu, tu ne voulais ni de la punition ni du chagrin.

Tu voulais que la punition ne fût pas une punition mais tout le contraire, qu'elle soit un cadeau, et que le chagrin nous soit, pour cette raison même, épargné. «Je ne veux pas que vous ayez du chagrin !» Ainsi souhaitais-tu, pour toi et pour tes enfants, ce départ volontaire comme une dernière preuve d'amour.

Que nous voulions ou non de ce cadeau n'était pas au programme. Tu nous le destinais, c'est tout. En ton âme, en ta conscience. N'était-ce pas cela, ta toute-puissance de mère et la preuve ultime que tu l'étais encore ?

Le cadeau, ton dernier cadeau de mère, tu le voulais magnifique, magnifié. Pour toi, ce ne pouvait être que ta propre mort. Maintenant.

«Maintenant ? Es-tu sûre que c'est maintenant ?

– Oui, ma chérie. Je suis sûre. Je le sais. Moi

seule peux le sentir, le savoir. C'est maintenant. Après, ce sera trop tard... »

Le «maintenant», je me suis contrainte à l'admettre. Contrainte aussi au paradoxe du cadeau.

Pour admettre le «maintenant», j'ai dû renoncer à te regarder avec mes propres yeux. Je me suis efforcée de te regarder avec tes yeux à toi. Les miens, disais-tu, étaient trop généreux, trop indulgents. Ils ne voulaient pas voir ce que tu voyais toi : l'usure, la «déglingue», parvenue à l'extrême, au point de non-retour.

Ah ! la déglingue ! Elle t'aura tourmentée ! Que d'années tu m'auras associée à sa triste réalité ! Je trouvais normal, d'ailleurs, de partager cela avec toi, car ensemble nous nous étions transformées l'une et l'autre et n'avions pas cessé de nous regarder changer, comme cela existe parfois entre femmes, mais là plus assidûment encore, puisque tu étais ma mère et que ta fille j'étais, son prolongement, sa réplique différente...

Depuis bon nombre d'années donc, l'usure te torturait. Sans indulgence pour toi-même tu en as surveillé la progression. Tu inscrivais mentalement chaque signe de sa marche impitoyable : « J'ai beaucoup baissé ces derniers temps », affirmais-tu, ponctuellement, en nous prenant à témoin d'un manquement de quelque chose du corps ou de la tête.

À chacune de leurs petites trahisons, tu prenais note. Tu tenais à jour la liste des dégradations grandissantes. L'infirmière scrupuleuse les consignait, les recensait, objectivement, médicalement.

Il ne servait à rien de s'offusquer, de prétendre le contraire. Toute protestation était balayée aussitôt : « Allons, voyons, n'essaie pas de me rassurer. Je sais bien, moi, que je régresse ! »

Cette sévérité avec laquelle tu te jugeais toi-même n'était pas liée, comme on aurait pu le croire, à de la complaisance ou à une forme de délectation. Ce n'était pas une pose.

Tu devais, en toute lucidité, apprécier où tu en étais de tes facultés physiques et mentales, procéder à un petit état des lieux permanent, par rapport à une limite très personnelle, très secrète, que tu t'étais fixée à toi-même et au-delà de laquelle tu refusais d'aller.

Il existait une frontière de la dignité et de l'indignité dont toi seule connaissais l'ultime démarcation, en ton âme, toi seule le tracé exact à ne pas dépasser, en ta conscience.

Orgueil que tout cela ? Le mot «fierté» me paraissait mieux convenir à l'image que tu te faisais de la dignité ou de l'indignité, car il était sans la morgue, le dédain qui sied à l'orgueil.

Il y a dix ans, déjà, tu avais cru l'avoir atteinte, la limite, avoir outrepassé la ligne fatidique, et puis non, tu avais renoncé, tu t'étais octroyé le droit d'aller plus loin, faisant une nouvelle fois confiance à ton corps, à ta tête, pour un surplus, un supplément de vie. Une sorte de contrat qui, à tout moment, pouvait se rompre, se résilier.

Cette menace permanente, omniprésente du contrat m'a poursuivie. Il m'est arrivé de la vivre comme une torture, un poison lent. Je t'ai reproché à certains moments cette angoisse souterraine, cette inquiétude tenaillante à laquelle je me trouvais soumise. Elles te désolaient. Tu ne voulais ni de la torture ni du poison...

Lorsque je m'absentais pour plusieurs semaines, nous étions convenues d'un code, plutôt d'une phrase rituelle, sans laquelle je ne serais pas partie. Sur le pas de la porte, après t'avoir serrée contre moi, je te regardais fixement. Plus exactement, mes yeux t'interrogeaient. Ils voulaient être sûrs que... Et toi, qui lisais la question dans mon regard, tu prononçais la phrase qui me sauvait: «Tu peux partir tranquille, ce n'est pas pour maintenant.»

Quelques secondes, grâce à la phrase, l'enfant que j'étais te croyait de nouveau immortelle. J'avais besoin de cette croyance pour m'arracher et dévaler les marches, légère, avec pour bénédiction cette promesse qui me semblait valable pour l'éternité...

Mais c'était fini aujourd'hui. Plus de sursis. Pas de remise de peine ni de délai de grâce. Fini le surplus, le supplément de vie, parce que ton corps, ta tête t'avaient avertie: le contrat était rompu, à son terme, pour de bon.

Tu me montrais les preuves de leurs nouvelles trahisons. Tu me décrivais, dans le détail, les effets de leur infidélité, sans révolte, comme devant une chose qui devait t'arriver un jour, une chose attendue, parfaitement en ordre, dans l'ordre.

Fataliste, tu observais en toi l'usure de la machine humaine.

«Tu vois, cela, je ne peux plus le faire, et ceci, vois-tu, ça ne marche plus, plus du tout.» La litanie de ce que tu appelais tes «misères» me bouleversait. C'est moi qu'elle révoltait. Moi, qui m'étais offert le luxe d'honorer la vieillesse, d'en célébrer, non sans angélisme, la beauté, je me sentais mortifiée, pleine de repentir car je peinais à retrouver dans tes bras décharnés la puissante balançoire, parfaite d'équilibre, qui me tenait accroupie sur l'herbe du jardin du bord de mer, dans ce dos ployé, tordu, la fière silhouette enlacée sous les arbres contre le vent de novembre.

La souffrance de ce corps chéri, rongé de mille maux, l'usure de ce corps aimé, martyrisé par le temps, me mettaient au désespoir, me torturaient tout autant que ta décision et le froid de l'acier sur mon cou.

La vieillesse, la vraie, je l'avais devant moi et la trouvais abominable. C'est elle et son désastre qui t'obligeaient à renoncer, à rompre le contrat, elle qui faisait que «maintenant» était bien maintenant.

Voilà, nous y étions à la frontière, visible de toi seule, où tes pas devaient s'arrêter, où tu poserais ton bagage de vie, une vie pleine, riche, dont tu te sentais comblée, reconnaissante.

C'était bien maintenant, oui, à cause de l'usure, de la déglingue, au-delà de laquelle tu n'irais pas, pas seulement au nom de la dignité, mais de peur du trop-tard qui, lui, t'effrayait bien davantage que la mort.

«Après, il sera trop tard...» Ces pages du cahier à ton nom, je les ai lues, relues.

Par cœur, mon cœur les a apprises, récitées.

Le vrai motif de ta décision, son urgence surtout, je les ai compris vraiment en me les répétant ainsi sous ta dictée lumineuse, virtuose de logique.

Comment ne pas entendre que, pour aller au bout de ton geste, il te fallait rassembler tant d'énergie que, si celle-ci s'épuisait, si tu parvenais trop tard à la frontière, tu n'aurais plus la force, ni physique ni psychique, de l'accomplir ? D'où ton obsession sur l'état des lieux, le recensement incessant de tes facultés. En dépit de l'épuisement qui te gagnait et qui gagnerait cette bataille, perdue d'avance, contre le temps, il te fallait la tenir en réserve, cette force précieuse, la préserver de l'érosion implacable de la nature, être sûre que, au dernier moment, elle ne t'abandonnerait pas, ne te trahirait pas, que tu pouvais compter sur cet ultime sursaut de tout ton être pour sauter le muret, proprement, dignement et seule.

Enfin, je me rendais compte en t'écoutant, depuis mon pupitre d'écolière, que le danger du «trop-tard» t'obligeait à partir peut-être trop tôt, bien en amont par rapport au calcul de tes forces.

Trop tôt pour nous autres, forcément, qui, aussi proches possible, ne pouvions l'éprouver comme toi, cette sensation intime de l'énergie intérieure et de sa précarité.

Trop tôt encore parce que, pour l'enfant, toujours trop tôt survient la mort de sa mère, la mère de ses jours.

Mais le «trop-tard» désignait un péril plus menaçant encore à tes yeux. Le pire des dangers, l'ennemi redouté parmi tous, davantage que les mille maux du corps auxquels ton esprit stoïque consentait, avait nom dépendance.

Toi, la femme libre, pour qui l'autonomie avait toujours été, et plus que jamais était, un principe de vie, une raison d'être, tu m'expliquais comme t'étaient intolérables la servitude de l'âge, les chaînes pour toi aliénantes de ta propre existence si elles devaient entraver d'autres que toi-même :

«Tu comprends, je ne veux surtout pas devenir un poids pour vous.»

Cette idée te faisait monter des larmes d'émotion auxquelles je m'autorisais à joindre les miennes. L'émotion n'était pas interdite... Je renonçais à t'opposer des arguments contraires que tu ne voulais pas entendre et qui ajoutaient à ta fatigue, disais-tu.

Notre liberté, notre autonomie, t'importait tout autant que la tienne. C'est à elle que tu songeais, comme à un bien précieux, un ultime présent en parlant de délivrance, un mot qui résonnait pour toi d'une manière ô combien concrète et presque joyeuse. La délivrance devrait être partagée. La tienne serait aussi la nôtre. C'était cela le cadeau. Au fond de la forêt où en vieille Indienne tu souhaitais partir sans regret, il nous attendait. Les premiers flocons de neige tombaient déjà sur notre tipi...

*

*   *

Avant les flocons, il y eut les rafales de pluie et de vent. Novembre.

En novembre tu es déjà un peu partie, avant de partir tout à fait…

Par grand vent, tu as décidé d'un acte dont nous avons tous senti la force, la portée symboliques.

Au téléphone, ta voix, tranquille, résolue : « Tu sais, ma décision est prise. Je me sépare de ma voiture. Définitivement. Je ne conduirai plus. Plus jamais. »

La phrase m'a fait froid. Un froid qui m'a rappelé le froid de ta mort annoncée, et son acier tranchant. Stupeur. Vaine protestation :

« Es-tu sûre que ce soit une bonne idée ? C'est trop important, ta voiture, pour toi ! Il faut la garder jusque… *(J'hésite.)*… jusqu'à la fin…

– C'est vrai, c'est important. Mais c'est décidé. C'est fini… C'est tout. »

« C'est tout »… Deux petits mots. Je les ai si souvent entendus qu'ils me paraissent indissociables de ta personne. À l'image de ta rectitude, de ta détermination. Quand tu as dit « C'est tout », il n'y a rien, absolument rien à ajouter. Il s'agit d'un arrêt, d'un décret immuable qui se suffit à lui-même, dont tu assumes l'entière responsabilité et dont on sent bien qu'il fut mûrement pensé avant d'être prononcé.

Face aux innombrables «C'est tout» de notre histoire commune, toujours je me suis inclinée. Par faiblesse ? Non. Par peur ? Non. Par respect ? Un peu. Par bon sens ? Oui. Le bon sens consistant à te faire confiance, une fois pour toutes, sur ton sentiment à propos de la réalité des choses te concernant. Une confiance qui m'a menée là où je me trouvais maintenant...

Ta voiture, ta complice, ta compagne, ta sœur. Ceux qui t'ont connue, et t'ont connue dedans, savent de quoi je parle. L'une à l'autre, vous vous êtes identifiées, si je puis dire, sur les mêmes valeurs de la vie. Difficile d'imaginer une voiture qui te ressemble davantage, elle aussi à bout de souffle, elle aussi usée de la même façon morale et affective.

Ensemble, vous avez traversé les épreuves et les joies, ensemble cahoté sur des sentiers ingrats, mais aussi rendu grâce à la vie pour sa beauté. Compagne de tes lubies elle t'a fait bourlinguer, ta bonne vieille camarade, par des chemins de traverse, et souvent pour des courses qui te paraissaient primordiales, comme de te rendre au fin fond de la Bretagne au secours d'une maternité en péril, ou d'aller t'incliner sur les croix vermoulues des soldats oubliés du Chemin des Dames quand tout le pays se vautrait dans le foie gras et les bûches de Noël, ou, tout simplement, de rouler dans Paris à l'aube naissante, une heure précieuse pour celle qui, pendant tant d'années, s'était associée à la venue au monde d'un enfant, au retour d'un accouchement qui avait duré toute la nuit.

Le sentiment de liberté et d'autonomie que donne la voiture, tu l'avais démultiplié, embelli. Il s'était ritualisé. Tu en avais fait l'image même de ton émancipation et de ta résistance.

Conduire et se bien conduire, n'était-ce pas la même chose, au fond ?

Se bien conduire : être forte et vaillante.

Plus les forces t'ont manqué, plus tu t'es réfugiée là, dans ce lieu préservé, cet abri où tu affirmais être davantage heureuse encore que dans ta maison, parce qu'au volant tu étais encore ton maître, rien ne pouvait t'arrêter, tu retrouvais quelque chose de ta dignité menacée.

L'usure du corps devenait supportable. Le corps se taisait. Ta voiture, la seconde maison du corps sans âge.

Et puis, dans cette deuxième maison, tu avais aussi rendez-vous. Pas uniquement avec toi-même. Un homme te rejoignait. Les voyages, c'était avec lui. Avec lui tu t'en allais sur les routes d'autrefois, sillonnais la France. Avec lui tu parcourais le monde, rendais visite aux amis de toujours (ton sac de couchage sous le bras pour dormir, sans déranger, où bon te semblerait). Lui, ton homme, ton amour...

«Tu vois, c'est dans la voiture que je suis le plus avec ton père. C'est curieux, non ?

– Tu lui parles ?

– Oui, bien sûr. Il est assis, à côté de moi, comme autrefois. On se parle, comme autrefois.»

Je souriais. L'accompagnement des morts aimés, je connaissais. Leur posture familière, pour toujours auprès de nous, je connaissais. Le souffle doux de F. sur ma nuque...

J'aimais bien l'idée que mon père, qui semblait avoir pris tant de place, se laisse conduire par toi, pour toujours, dans ta seconde maison, celle où tu étais ton maître et où l'âge ne comptait pas.

Eh bien, quoi ? Est-ce à tout cela que tu voulais renoncer ? Mais pourquoi ? Et pourquoi maintenant ?

Les explications que tu m'as données alors m'ont laissée sceptique. Ta vue avait encore baissé. Tu te méfiais de tes réflexes. Tu étais devenue un danger public. Tu risquais de provoquer un accident... Aucune de ces raisons ne m'a convaincue.

La vérité, pour moi, est que cette décision était forcément emblématique de ton geste final. Un acte de rupture, d'arrachement décisif, et, bien sûr, annonciateur. Je dis arrachement parce que le récit que tu m'en as fait toi-même était plein d'une émotion que tu n'as pas cherché à dissimuler.

J'ai imaginé la scène...

Voiture à l'arrêt, tous feux éteints. Longtemps.

Bruit de la pluie sur le pare-brise. Au-dehors, des ombres pressées d'aller se mettre au chaud, de rentrer.

Personne ne l'a vue, la très vieille dame,

pensive et silencieuse, les mains posées sur le volant pour une dernière caresse, un dernier salut à ta compagne d'escapade. Longtemps tu es demeurée là, plus vivante que jamais.

Coups de balancier. Le temps de les revivre, tous les voyages accomplis, d'en revoir l'histoire jusqu'à sa fin. Le temps de lui parler, à l'éternel fiancé venu certainement pour le dernier rendez-vous...

Voilà, maintenant elle était loin, ta sœur de liberté. Elle n'était plus sous tes fenêtres à t'attendre, fidèlement. D'elle tu n'avais plus besoin. Tu ne sortirais plus désormais. Ne te mêlerais plus au monde du dehors, de la cité. Toi-même avais rompu le lien, donc, et souhaité que la voiture fût ramenée à l'endroit précis où tu l'avais achetée, près du bord de mer et pas ailleurs. Ce fut fait. Elle y est aujourd'hui (on l'y croise, paraît-il). Tu lui as rendu sa liberté puisque toi, de ton côté, librement aussi, tu t'en allais...

Il fallut du courage à celle qui se chargea de l'emmener, selon ton désir, dans les mêmes rafales de pluie et de vent.

Ta camarade citoyenne fut rendue à la mer...

Elle ne serait donc pas du Grand Voyage, celle qui avait été de tous les autres.

Le lien rompu, la voiture partie, tu te condamnais aussi à l'immobilité, à une forme choisie, lucide, de réclusion. C'est peut-être une explication possible du «Pourquoi maintenant ?» demeuré sans réponse, ce besoin essentiel – maintenant – de te mettre à l'écart, de te retirer. Le moment était peut-être venu de rentrer en toi-même...

On ne saura pas puisque tu as dit : «C'est tout.» Mais ce geste si symbolique ne nous était-il pas, à nous, tes enfants, également destiné ?

«Ce sera donc le 17 octobre», «Je ne conduirai plus jamais»... Les deux phrases ont produit sur moi le même effet de froid, de tranchant.

Pour moi, elles disaient la même chose, sonnaient pareillement.

«Allons, enfants, préparez-vous. C'est pour de bon. Pour de vrai. Vous voyez : je suis prête, moi. La preuve ? La voiture. Même ma voiture, cet autre moi-même, j'y renonce. Allons, enfants, soyez prêts, vous aussi !»

Étais-je prête ? Impossible à dire.

Il m'a semblé simplement qu'entre la première phrase, entendue il y avait des semaines, et cette deuxième, tout aussi irrévocable, j'étais différente. Oui, c'est cela, différente. C'est tout...

La voiture, je l'ai revue. Je l'ai retrouvée, quelques mois plus tard, dans le documentaire qui t'était consacré*.

Revoir le film avec tous ceux qui étaient venus t'honorer, toi disparue, fut un moment extrême, mais doux. Toi partie, j'ai vu un autre film que celui que je connaissais pourtant presque par cœur, plan par plan, pour y avoir un peu contribué.

Et puis il y a la fin. Tu te souviens ? Tu te souviens de la fin du film ? Nous y sommes toi et moi, dans ta voiture. Nous roulons dans ce Paris tant aimé, toi au volant, moi à tes côtés. Nous sommes filmées et pourtant nous les avons oubliés, la caméra, le micro. Nous ne jouons pas. Nous papotons joliment, gaiement, façon gigogne.

Puis vient l'image finale : celle de la voiture qui repart – sur une réplique de toi, la dernière du film, qui me fait sursauter : «Mais j'ai pas fini,

* Projection au théâtre de l'Athénée du film *Une femme en marche*, le 15 mars 2003.

moi !» –, puis qui s'éloigne, avec nous dedans, droit devant, comme si elle ne devait jamais s'arrêter.

Tu m'emmènes. Où ? Tu m'emmènes, en tout cas...

Cette image de nous deux, partant vers l'horizon, toi au volant (m'enlevant en quelque sorte), moi à tes côtés, confiante, m'a ouvert les yeux.

Image prémonitoire. Le Grand Voyage. Je nous ai vues partir vers ta mort, papotant joliment, gaiement...

Non, en effet, tu n'avais pas fini, alors. Tu avais même beaucoup à faire avant de finir, et moi tant à apprendre...

Toi, tu me pensais prête. J'ignore si j'étais prête mais tu me pensais prête. Je dis vrai lorsque je dis que je ne sais pas si je l'étais, car la sensation était aussi fluctuante qu'incontrôlable.

À certains moments, il me semblait être plus prête qu'à d'autres. La nuit en particulier, je me réveillais en sursaut, dans une agitation extrême, mais jamais pareillement.

Je ne t'ai pas parlé des nuits. Je ne t'ai pas tout dit.

Certaines nuits, je parlais tout haut. C'est ma voix qui me réveillait : «Elle est encore là !» criait la voix. La pensée que tu étais en vie me calmait aussitôt. Je t'imaginais, endormie, lasse, très lasse, mais cependant susceptible encore de veiller sur moi. J'avais une mère, j'avais une mère, et son éternelle, inépuisable présence vivante et protectrice. Je me rendormais nichée, recroquevillée dans cette pensée.

D'autres fois, ce sont mes larmes qui m'arrachaient au sommeil. Les angoisses contenues du jour se libéraient. La voix criait : «Non ! Non !» Non au compte à rebours, non au décompte du temps, et la vision de l'acier, de la lame revenait, tranchants comme au tout début.

Mais, à ma grande surprise, l'image de la délivrance me visitait de plus en plus : «Songe au cadeau, au cadeau qu'elle te fait – me soufflait la voix –, ce corps, cette tête aimés, tu ne les verras pas se défaire davantage. Tu n'assisteras pas au spectacle déchirant de leur mort lente, cruelle.

Tu ne seras pas le témoin impuissant de toute la souffrance qui, pour cet être si exigeant de sa dignité, accompagnerait inévitablement ce déclin forcé. Le cadeau, songe au cadeau. Tu garderas de ta mère l'image noble de celle qui a su choisir sa fin et regarder la mort dans les yeux.» Et je te remerciais avec ferveur avant de sombrer dans une torpeur confuse où toutes les voix de toutes les nuits se disputaient mon sommeil...

Tu me pensais prête et c'est à cette croyance que je m'accrochais, le jour. J'espérais que la confiance que tu me faisais – à tort ou à raison – m'aiderait à affronter les quatre ou cinq semaines qui, approximativement, nous séparaient maintenant de la date que tu t'étais fixée à toi-même.

Cette confiance, venue de toi, était mon bastingage, ma rampe de secours. Tu marchais si droit vers ta mort... Je n'avais qu'à te suivre, n'est-ce pas ?

L'épouvante, la marche à reculons, il n'en était plus question. Droit devant il me fallait aller. Je ne comptais plus que sur toi pour avancer à ton pas.

«Tu me tiens, hein ?

– Mais oui, je te tiens... Allez, vas-y, n'aie pas peur !»

La voix de la lointaine posture dans le jardin du bord de mer... Inchangée, j'en sentais le souffle, sur ma tête bouclée. Elle m'encourageait. Ta voix de toujours sonnait clair. Nette, elle dissipait les voix dissonantes de mes nuits agitées. À la voix du jour je m'accrochais...

Pour toi qui avais suivi mes progrès, tu as dû décider qu'à présent nous étions parvenues à un moment différent de mon apprentissage, parce qu'il s'agissait bien de cela, d'un apprentissage où toi, en bon artisan, tu m'instruisais. Le travail sur la mort, sur ta mort, tu en étais le meilleur orfèvre. J'étais ton apprentie inquiète et disciplinée.

«Travail»... C'est ainsi que tu nommais toi-même les préparatifs : «J'ai beaucoup de travail encore», ou «Il faut que je me remette au travail», me disais-tu, pour désigner la mise en ordre, les rangements nécessaires en prévision de ton départ.

Un mot qui pour toi signifiait doublement, comme si, cette sortie *du* monde, tu l'associais inévitablement au travail de l'accouchement, à la sortie *au* monde de l'enfant à naître, le mot travail donnant tout son sens de nouveau à l'image de la délivrance dont il était à la fois la cause première et la force.

Ce paradoxe-là ne m'avait pas non plus échappé : «N'est-ce pas étrange, maman, qu'une sage-femme qui aide à donner la vie puisse (se) donner la mort ?» Tu répondais alors que la mort et la vie sont indissociables et que, appartenant au même ordre (au sens de la place mais aussi du commandement) de la nature, elles pouvaient, devaient s'apprendre ensemble.

J'ai pensé : N'étais-tu donc pas la mieux placée, toi qui avais si bien aidé à donner la vie, pour décider, en conscience, du bon moment de la délivrance, de ta délivrance ? Oui, sans doute. Pourtant, puisque c'était au nom de la nature que tu légitimais ton geste, je me suis un jour étonnée que, en mettant un terme brutal à ta vie, tu lui fasses d'une certaine manière violence. De même, je trouvais surprenant que la sage-femme qui militait pour un accouchement moins médicalisé, une naissance plus naturelle, interrompe sa vie de façon si peu naturelle. «Bien sûr... m'avais-tu répondu tristement, la gorge nouée, si nouée soudain que j'ai regretté ma question. Bien sûr, ma chérie, as-tu répondu. Vois-tu, moi-même j'aurais préféré mourir autrement... Être déjà partie... Je n'ai pas eu cette chance... Je n'ai donc aujourd'hui pas d'autre choix que celui-là...»

Pas d'autre choix, non, si tu voulais ne pas déchoir à tes propres yeux. Pas d'autre choix, non, si elle risquait d'être dépassée, la limite, l'intime frontière de la dignité telle que tu l'entendais.

J'avais senti ce jour-là que ce choix, c'est à toi d'abord qu'il faisait violence. Que le courage qu'il exigeait était contre nature, contre ta nature à toi, si contraire à toute violence. La délivrance désirée pour toi-même, pour nous, était au prix fort, un prix à la hauteur de ta fierté. Un prix à la hauteur de ton amour de mère...

L'apprentissage, donc, a pris un tour nouveau.

J'étais loin de me douter, alors, de son importance, à ce moment de notre complicité, à mille lieues d'imaginer le rôle particulier qu'il allait jouer dans le compte à rebours et l'accomplissement de ton geste...

Il me faut à présent mettre en mots le moment de vie si singulier que fut l'aboutissement de ta mort programmée, ce que j'en ai personnellement partagé avec toi. Je te le dois en reconnaissance. Je le dois également à ceux qui ont compris, mais plus encore à ceux qui n'ont pas compris ce geste peu commun.

Je tente de le démonter, pièce par pièce, pour expliquer l'agencement, la logique qui l'ont rendu possible, sans autre interprétation que ma subjectivité et mes propres résistances face à ta décision...

J'en suis arrivée au grand tournant de l'apprentissage. Parvenue aux pages les plus mystérieuses du cahier à ton nom écrit en lettres noires. Les plus sombres ? Bien sûr, les plus sombres puisque bientôt, très bientôt... Et cependant, lumineuses. Lumineuses parce qu'elles m'ont éclairée, mise au clair, avec toi et avec moi-même, sur le comment-mourir.

Lumineuses parce qu'au plus noir de mes peurs, au plus noir du deuil de toi m'est venue la luminance qui les a exorcisés, et les peurs, et le deuil.

C'est à toi que j'en fais le récit aujourd'hui

exhaustif – je ne t'ai pas tout dit – et pour toi aussi que je le fais.

Tu te souviens...

Quelques jours à peine avant que tu nous quittes, nous avons été toutes deux prises d'un fou rire à propos d'un détail tellement prosaïque concernant ta mort. Ce doit être «le jour de la chemise de nuit». Rappelle-toi la chemise de nuit...

Ce jour-là, donc, comme chaque fois que nous avons ri ensemble de quelque chose qui aurait dû nous faire pleurer, je t'ai dit, redevenant sérieuse :

«C'est inouï ce qui est en train de se passer, maman. Incroyable ce que tu me fais faire. Le chemin... Le chemin que tu me fais parcourir...

– Oui, c'est vrai, as-tu répondu, toute pensive.

– Il faut... Il faudrait le raconter ! Que d'autres que moi... Je crois que... je voudrais l'écrire...»

Tu as pris ton air de sage-femme. Celle qui sait le bon moment des choses en devenir.

«Tu penses que c'est important ? Que ce pourrait être utile ?

– Oui, je le pense... Important pour ton combat. Utile pour aider, peut-être, à regarder la mort autrement...

– Alors oui. Raconte. Oui, écris-le. Je te fais confiance...»

Ce livre, le livre de ta mort, sera le premier de tous mes livres que tu ne liras pas en annotant le manuscrit, au crayon, de remarques, de réflexions personnelles qui me sidéraient par leur pertinence, leur vérité, mais peut-être celui que, d'une certaine manière, nous aurons pensé ensemble, le plus complice d'entre eux.

Je l'écris en confiance – celle que tu as bien voulu me donner quand le rire conjurait les larmes –, je l'écris en conscience, moi aussi.

Mettre en mots les dernières semaines, les derniers jours, la dernière heure. Aller jusqu'au bout du compte à rebours, du décompte du temps, cette fois sans toi pour tourner les pages du cahier, mais avec toi quand même, dans ta posture de mort, la posture que je t'ai choisie, pour la vie, du côté de mon ventre de fille née du tien...

L'invitation au voyage, comme dans tous les voyages, et plus encore pour celui-ci, signifiait préparatifs, rangements, bagages, recommandations et ultimes adieux. C'est à tout cela que tu m'as conviée, quand l'horloge de ta vie s'est mise à compter les coups de balancier…

Je n'étais pas obligée de répondre à l'invitation. Tu aurais compris que je la décline. Je demeurais libre. C'est plutôt moi qui n'aurais pas admis que je m'arrête en chemin et que je referme le cahier sans l'avoir tout à fait lu, sachant que le plus difficile était à venir, ou sous le prétexte que j'ignorais si je serais prête. Toi, tu l'étais, et je me fiais à cette évidence, ne voyais que cette certitude, mon bastingage, ma rampe de secours. Je me suis laissé guider.

Pas une fois tu ne m'as lâchée, jusqu'au moment où tu devais demeurer seule, vivre ce que tu avais à vivre face à face avec toi-même, seule pour regarder la mort dans les yeux.

Avoir ton assentiment et ta confiance pour un livre éventuel m'a considérablement soutenue. De cet assentiment, j'ai fait une promesse. Je ne pouvais plus, désormais, me dérober à l'engagement de poursuivre, jusqu'à l'épreuve finale. Est-ce pour cette raison que j'ai souhaité ton consentement ? Ce n'est pas impossible, de même qu'il n'est pas exclu que tu me l'aies donné sachant combien, aussi, l'idée de l'écriture, pour moi, pourrait être salvatrice...

Tu le connaissais si bien, ce lien étroit de ma vie avec les mots. Il t'avait toujours intéressée, peut-être – qui sait ? – parce que dans l'écriture aussi il y a de l'enfantement, de la mise au monde...

Je me rappelle, à ce propos, combien j'avais été émue que, quelques années après la sortie de *La Courte Échelle* – il n'y a pas si longtemps, deux ans, guère plus –, tu aies fait très discrètement le voyage jusqu'à la maison du Lot où s'était déroulée l'histoire qui avait inspiré le roman. Tu voulais l'approcher, la saisir dans sa vérité, l'énigme de l'écriture, le surprenant passage du réel à la fiction, comme si ce moment de la conception devait t'en apprendre davantage sur ta fille que le livre lui-même.

Tu t'étais fait ouvrir la maison que tu avais parcourue, mon livre à la main, et m'avais rejointe, disais-tu, au plus intime de moi-même, au cœur de ma souffrance d'alors. La souffrance du deuil, déjà, du deuil de l'époux dont nous avons aussi partagé l'épreuve.

Cette escapade au travers des mots, cette façon à deux de les regarder, ces mots, de l'intérieur depuis le lieu douloureux et secret où ils étaient nés, nous liait à jamais et explique sans doute ce récit d'aujourd'hui...

Mettre en mots... Tenter de décrire, dans le détail, la mise en scène minutieuse de ton effacement progressif, de quelle manière admirable tu l'as ritualisé.

«Raconte. Oui, écris-le», a dit celle qui sait le devenir des choses.

Décrire suffira-t-il pour saisir ce qu'il y avait de transcendant – oui, c'est cela, c'est le mot «transcendant» qui convient le mieux – dans cette chorégraphie, cette danse des signes? Je le voudrais tant... J'aimerais que l'on découvre au travers de cette gestuelle pas seulement la force de ta détermination, mais le désir profond, essentiel, qu'elle soit sans cruauté, en bref pour qu'on l'admette, plus: qu'on la salue, la beauté du geste...

Ce sont les objets, chargés de sens, qui dans ta logique – que d'aucuns pourraient juger macabre –

vont contribuer à la mise en scène. En réalité celle-ci avait commencé il y a bien longtemps. Loin en amont, tu en as planté le décor dans ma tête d'enfant...

Le tiroir du bas de l'armoire dans la chambre dite «la chambre des filles» est fermé à clef. Je suis assise devant. Face à un mystère. C'est ainsi que tu me surprendras.

«Que fais-tu là, ma chérie ?

– Rien... Qu'est-ce qu'il y a dans le tiroir fermé à clef ?

– Il y a des lettres, des objets, des choses que je garde.

– Tu me montres ? Juste pour voir !»

Tu souriras. Tu ouvriras le tiroir, juste pour que je voie. Il y a en effet des lettres et des petits paquets ficelés avec des mots sur chacun d'eux, des mots écrits de ta belle écriture penchée.

Tu m'expliques que ce sont des souvenirs précieux, des vestiges de ton enfance, de ton histoire, auxquels tu tiens beaucoup et que tu conserves pour nous, tes enfants, pour plus tard.

«Plus tard ?

– Oui, plus tard, quand je partirai...

– Pas avant ?

– Non. Pas avant.»

Tu m'expliques la transmission, l'importance symbolique de ce qui se donne, comment les objets continuent de vivre, en passant de main en main, comme ils permettent à celui ou celle qui s'en va de demeurer encore. À celui et à celle qui reste de ne pas oublier.

J'ai en mémoire cette scène parce que, ce jour-là, tu as promis qu'il me reviendrait le très original pendentif des années trente que j'admirais depuis toujours à ton cou, et que je me suis sentie aussitôt coupable de l'avoir réclamé. J'aurais aimé le pendentif, mais sans que tu partes pour autant.

«Je serai malheureuse, alors, quand je le porterai, plus tard !

– Mais non ! Tu seras heureuse, au contraire. Tu verras !»

J'ai vu. Je suis heureuse, oui, de le porter. Mais le plus extraordinaire, c'est que pour le «plus tard» tu as fait une exception que je ne peux pas ne pas associer à cette conversation essentielle de l'enfance, à l'une de tes premières leçons sur la mort provoquée par ma curiosité…

Le jour même de mes cinquante ans, il y a

neuf ans, tu es arrivée, dans notre maison où l'on fêtait l'événement, bien avant tout le monde, en pleins préparatifs :

«Il est juste que j'arrive la première, as-tu dit en plaisantant. Je ne suis pas une invitée ! Je suis ta mère et puis je suis quand même pour quelque chose dans tout cela, non ?»

Tu t'es assise un moment pour reprendre ton souffle (tes quatre-vingt-quatre ans pesaient lourd, déjà) et puis tu as sorti de ton sac un petit paquet ficelé. C'était le pendentif.

J'ai pensé : Je reçois de ma mère le plus beau des cadeaux et pourtant c'est le pire. Je nous ai revues devant le tiroir ouvert comme devant la boîte de Pandore :

«Plus tard ?

– Oui, plus tard, quand je partirai...

– Pas avant ?

– Non. Pas avant.»

Mélange incompatible de bonheur et de doute. Je ne parvenais pas à les dissocier tant ces sentiments étaient extrêmes, au point de ne pas trouver les mots. Imprononçables, les mots.

Je t'ai regardée fixement, comme sur le pas de la porte lorsque je m'éloignais pour longtemps. Mes yeux incrédules t'interrogeaient. Tu as compris :

«Mais non, voyons ! Sois tranquille...»

Tu n'as pas fini la phrase rituelle. Ce n'était pas nécessaire.

Ce n'était «pas pour maintenant». L'enfant que j'étais toujours, en ce jour particulier, pouvait donc te croire, encore, de nouveau immortelle. Tu étais là, devant moi, et j'avais le pendentif. C'était trop, bien sûr...

«C'est trop, maman... Je ne veux pas... Je ne pourrai pas le porter...»

Non. Pas avant. Pas avant que tu sois partie. J'avais retenu la leçon. Tu ne pouvais pas être tout à la fois vivante réellement et morte symboliquement, n'est-ce pas ? Le bijou t'appartenait puisque tu étais venue pour fêter le premier jour de mes jours. Pourtant, j'ai senti que refuser ce cadeau n'était pas non plus possible, que sa suprême valeur tenait dans le fait que c'était toi-même qui me l'offrais. Senti que tu y tenais, à ce geste probablement pensé et repensé d'un présent hors du commun pour mes cinquante ans.

Aujourd'hui que j'ai vécu la danse des signes jusqu'à son dénouement, j'interprète autrement le sens de cette «donation». Mais sur l'instant j'ai trouvé un compromis qui nous a satisfaites l'une et l'autre, même si tu m'as traitée de coquine...

«C'est entendu, ai-je proposé, le pendentif est à moi désormais, mais je te le prête. On le portera chacune son tour, d'accord ? C'est ton tour !»

C'est ce qui s'est passé (enfin presque, car je ne te l'ai jamais demandé, évidemment. Mon tour n'est jamais venu. Je l'ai sciemment passé sans que tu en sois dupe, d'ailleurs, nous en avons plaisanté souvent) jusqu'à ce que je retrouve le pendentif «après», mon nom écrit dessus, de ta belle écriture penchée.

C'est ton tour, maintenant, ma chérie. Ton tour pour toujours... L'as-tu pensé en écrivant mon nom ? Je suis sûre que oui.

Ce geste de ta main à la mienne, ce legs vivant, initié avec le pendentif, préfigure tous les autres gestes accomplis au travers des objets, les dernières semaines.

Une vraie chorégraphie, la manière orchestrée avec laquelle tu as réglé, mesuré les dons faits avant ta mort. Les objets destinés à être donnés «après», ceux que nous devions trouver, toi partie, ont eu un traitement différent dans la mise en scène.

À chacune de mes visites, tu me destinais quelque chose qu'il me fallait, impérativement, accepter. Des choses parfois insolites.

«Tiens, ma chérie, prends ça, veux-tu ?»

Je me retrouvais avec un cep de vigne et une tapette en osier pour battre les tapis que tu ne te résignais pas à jeter: «Ils ne te gêneront pas dans le coin de ta cheminée, hein ?»

Une autre fois c'étaient des pierres, des pierres par dizaines, parfois belles, parfois ordinaires, mais toutes importantes à tes yeux pour des raisons que toi seule connaissais, venues de toutes les terres du monde: «Je sais que tu les aimes, les pierres, toi aussi, n'est-ce pas ?» Tu les voyais fort bien dans la petite cour arrière de notre maison du Sud, pour retenir les pots de fleurs en cas de mistral. Les grains de riz espagnol cueillis dans une rizière de Valencia, et conservés comme des diamants dans une petite boîte en plastique, nous les planterons bientôt, comme tu me l'as instamment demandé, pas trop loin du saule. La plante du maquis corse, avec son trépied en fer (forgé autrefois par ces garçons écorchés à qui tu servais d'infirmière et de mère), elle fait merveille devant la baie vitrée du grand salon. Elle donnera sa fleur de Noël – blanche, comme tu l'as promis –, c'est sûr...

Ainsi les objets que tu ne parvenais pas à sacrifier passaient-ils de ta main à la mienne, le plus naturellement du monde.

L'idée de «sauver» ces menus trésors te mettait en joie. Ta joie me rendait presque joyeuse. Nous avons fait parfois un jeu de cette passation intime, un jeu de ce ballet des objets d'une maison à l'autre. Tu me regardais partir, chargée de ces petites preuves de ton existence, avec soulagement, comme libérée, allégée.

Quant à moi qui transportais dans ma voiture ces parts de toi-même, j'étais lourde et le cœur serré. Il me semblait que je te dépeçais vivante et que les objets se mouraient en chemin de t'avoir été arrachés, jusqu'à ce que, arrivée dans ma maison, je trouve pour chacun la place qui lui revenait et le faisait renaître.

C'était cela ton but secret – je l'ai compris peu à peu. Peu à peu j'en ai compris la merveilleuse, lumineuse logique. C'est bien de l'oubli, de la mort même que tu sauvais ainsi ces traces infimes de ta propre vie. Tu me les confiais pour leur renaissance comme je le ferai sans doute moi-même, plus tard, avec mon fils...

La leçon de la transmission, ébauchée dans l'enfance, devant le tiroir fermé à clef, puis ouvert, j'en avais l'épilogue quelque cinquante ans plus tard. Tu me voulais, moi aussi, légère pour danser avec toi...

Les jours passaient et j'apprenais. J'apprenais combien la mort est vivante.

La leçon s'est compliquée davantage. Elle est devenue plus ardue quand, un matin, tu m'as appelée :

«Ma chérie – la voix était claire –, n'oublie pas, quand tu viendras la prochaine fois, de me réclamer tes lettres, ainsi que tes cahiers d'écolière, et puis tes nattes surtout ! J'ai peur d'oublier !... J'ai tant de choses à penser !»

J'ai répondu : «Oui. Oui. Ne t'inquiète pas !» aussi simplement que si tu m'avais demandé de te rappeler de me rendre un livre ou un article de journal.

Ce genre de dialogue – fréquent –, cette façon candide et dépouillée, encore une fois, de gérer la matérialité de ta mort, en y mettant le moins de tragique possible, me laissait éberluée.

Est-ce l'impression bizarre du décalage qui rendait presque abstraits les mots et les actes ? Cela m'aidait, j'en suis persuadée, à les vivre. J'avais déjà éprouvé quelque chose de semblable à la mort de F., cette sensation de l'abstraction… Jamais je n'aurais pu admettre, autrement qu'abstraitement, que c'était bien F., ce vase encore chaud qu'on posa dans mes mains par un matin d'hiver glacé au Père-Lachaise…

La valse des objets prenait donc un tour nouveau. Il s'agissait à présent de mes propres traces.

C'est avec ces parts de moi-même que tu me donnais rendez-vous.

C'est un peu de l'enfance, préservée par tes soins, qu'il me faudrait bientôt rapatrier et mettre à l'abri de l'oubli, comme tu l'avais fait en me regardant grandir…

Ensemble, donc, nous avons parcouru ces lettres d'adolescente que tu avais gardées de la petite pensionnaire, en uniforme bleu marine, rebelle et désespérée.

À haute voix, j'en ai relu quelques passages

qui m'étaient à la fois familiers et étonnamment étrangers.

Toi, tu écoutais, attendrie (tu avais dû avoir cet air en les lisant la première fois car, tout autant que moi, tu avais souffert de mon séjour forcé en internat). On aurait dit que tu les connaissais mieux que moi qui pourtant les avais écrites.

Ensemble nous avons feuilleté mes cahiers d'écolière. J'ai reconnu certains dessins et même quelques lignes de *a* et de *o*, à l'encre violette. Dans l'un des cahiers j'ai retrouvé mon herbier. L'une des fleurs séchées est tombée sur mes genoux en voltigeant.

Toi, tu me regardais pensivement, le sourire aux lèvres. Ce vagabondage dans les sentiers de l'enfance, cette mélancolique errance dans le passé, tu les vivais depuis des mois avec toi-même. Des mois de rangement, des mois à préparer les bagages du dernier voyage, dont chaque objet réveillait un souvenir, disais-tu, qu'il fallait bien revivre, sans doute, avant de les quitter tout à fait...

«Viens !»

Je t'ai suivie dans ta chambre. J'ai suivi

tes pas chancelants mais tenaces, déterminés, à l'image de ta vie.

Nous étions devant ta commode. Tu as ouvert le tiroir du bas – les choses que l'on conserve toute une vie sont-elles destinées aux tiroirs du bas ? Du tiroir, donc, tu as sorti une pochette en peau. De la pochette en peau : une enveloppe. De l'enveloppe : des cheveux.

« Mes nattes ?

– Oui. Tes nattes de petite fille ! »

Deux tresses dorées et soyeuses chacune liée par deux cordelettes couleur turquoise qui ressemblaient à des garrots car on voyait bien qu'elles avaient été tranchées, les nattes, par des ciseaux sans état d'âme et que l'enfance avait dû saigner quand même un peu, à cet instant-là.

Je ne sais plus si c'est moi qui l'avais souhaité, ce coup de ciseaux fatal d'un coiffeur oublié, mais, cinquante ans après, j'en étais bouleversée (comme m'avaient bouleversée les premières boucles de mon fils tombées au champ d'honneur de l'école maternelle et que je conserve, évidemment, dans un tiroir du bas).

J'ai pensé : L'acier tranchant, celui qui menaçait nos cous aujourd'hui, était-il si différent ?

N'était-il pas du même métal que les ciseaux tranchants de l'enfance ?

Tu tenais, entre tes mains, le temps qui passe. L'emblème même du temps révolu. Moi je te regardais regardant mes tresses dorées de petite fille pour la dernière fois.

Des tresses il te fallait te séparer. De la petite fille aussi qui les avait portées (peignées par toi, coiffées par toi) et à qui, naturellement, elles revenaient, il fallait te séparer. Ainsi l'exigeait la chorégraphie.

C'est alors qu'un geste t'a échappé. Je suis sûre qu'il n'était pas prévu dans la mise en scène. Au moment où tu allais me tendre mes tresses, me faire don de cette part de moi-même que tu m'abandonnais, tu as posé sur elles un baiser délicat, furtif comme un baiser volé.

Ce baiser de l'adieu que tu voulais léger, j'ai fait semblant de ne pas le voir. Léger il n'était pas, pas du tout – toutes deux le savions –, car tandis que tu te séparais de la petite fille aux tresses, pour toujours, moi, c'était à ma mère que je disais adieu, celle qui tant de fois avait déposé sur ma tête, sur ces cheveux d'enfant choyée, ses lèvres d'amour…

Ce geste inopiné me poursuit encore de son émoi silencieux, le tien et le mien mêlés. Le temps fugace du baiser n'en finit pas de se répéter dans ma tête d'orpheline. Dans cet instant presque sans durée, infime, de battement de cils, j'ai mesuré combien douloureusement tu t'arrachais aux tiens, en dépit de la sérénité de ta décision, combien tu étais mère.

Mes nattes ont rejoint les boucles d'A. dans un tiroir du bas. Mais ce n'est pas tout. L'emmêlement symbolique des cheveux s'est prolongé d'une façon inattendue qui, j'en suis sûre, te plairait.

Quand, après ton départ, nous avons défait ta maison et vidé les armoires, une à une, parcourant après toi, à propos de chaque chose trouvée, le chemin des souvenirs, j'ai mis la main, soudain, sur quelque chose d'infiniment mou, d'infiniment doux, parmi ta simple lingerie de vieille dame : c'étaient tes cheveux... Des torsades de cheveux de teintes différentes, en nattes pour certaines, roulées simplement pour d'autres dans de fins filets de nylon clair car tu n'avais pas eu le temps, avais-tu écrit sur un petit papier blanc, de ta belle écriture penchée, de toutes les tresser avant de t'en aller.

De tes propres cheveux, tu n'avais pu te séparer. À chaque chevelure devaient correspondre des pans entiers de ta vie de femme dont elles étaient la trace la plus fidèle et la plus intime. Chaque coloris devait te parler, et, plus sûrement qu'aucun autre objet familier, te faire revivre, en pensée, des moments d'âme.

Toi qui ne croyais plus en Dieu, religieusement tu avais sauvegardé ces fragments d'être, comme de précieuses reliques dont tu laissais, à nous, tes enfants, le droit de disposer. Dans cette maison dont nous avons pu vérifier encore, toi partie, combien modeste elle était, la spiritualité tu l'as mise dans tous les objets conservés pour nous, riches par le simple fait que nous les avions partagés, qu'ils comptaient pour nous. C'était leur seule richesse.

J'ai voulu les cheveux pour y plonger mes mains et mes pensées. Le dégradé des teintes, de plus en plus grises jusqu'au blanc, me foudroie toujours. J'y retrouve des mères successives, toi à différents moments de ta vie mais aussi de la mienne.

Lorsque mes mains et mes pensées en auront épuisé la mémoire – mais l'épuiseront-elles ? –, tes cheveux rejoindront les miens et ceux d'A. dans un tiroir du bas. C'est bien, non ? J'aime l'idée de ces enchevêtrements que d'autres, peut-être, démêleront après nous...

Sur le moment, et plus encore «après», j'ai pris conscience de l'énormité de ce que tu appelles ton «travail». Tout ce que tu possèdes a été répertorié, trié. Ce qui est demeuré : rangé, étiqueté pour, précisais-tu, nous donner, à nous, le moins de travail possible.

Ce fut le cas, tant minutieusement tu t'acquittas de cette tâche, essentielle à tes yeux, moralement, bien sûr, mais affectivement aussi.

Il ne s'agissait pas seulement, encore une fois, de mettre de l'ordre parmi les objets ou les vêtements, mais surtout de les inscrire dans le vécu, leur histoire commune avec toi. Tu notais parfois leur origine, leur lien avec ta vie et parfois, même, leurs destinations éventuelles. C'est à cela que servaient les dizaines et dizaines de petits mots-étiquettes pleins d'émotion, parfois d'humour, qui accompagnaient les moindres empaquetages. «Cette robe, je l'ai beaucoup aimée», «Vieilles dentelles mais sans arsenic !», «Attention en ouvrant !».

Tes petits mots-étiquettes, nous les avons tous trouvés. On aurait dit un jeu de piste ou une course au trésor. Ils nous ont fait sourire plus d'une fois, «après». Ils ont eu en tout cas la vertu que tu leur souhaitais : te retrouver toi, vivante, mutine et tendre, au milieu des vestiges de ton passé. C'était toi le trésor.

Mais le plus extraordinaire est que tu n'as jamais dissimulé les préparatifs. Le «après», c'est ostensiblement que tu l'as concocté devant nous. Je t'ai surprise souvent occupée à ce «travail» pour lequel tu n'hésitais pas à demander mon aide, au besoin.

Vers la fin, en ouvrant un tiroir pour prendre quelque chose, il arrivait que je tombe sur un des petits mots-étiquettes déjà en place : «Non ! Pas ce tiroir. Ce tiroir est rangé. On n'y touche plus !» Avant de refermer, j'avais le temps de lire le billet, adressé à nous, pour «après», avec le sentiment étrange que, toute vivante que tu étais, tu étais un peu morte. J'avais envie de te gronder, mais je n'en avais pas le courage.

Le mot «travail» ne renvoyait pas seulement

au vocabulaire et à la réalité de la sage-femme que tu es et resteras. Pour moi, il est devenu de plus en plus clair, au fil des dernières semaines du compte à rebours, qu'il fallait l'associer au sens psychique de «travail de deuil», une expression que je n'aime pas beaucoup, mais si juste pourtant. Le rangement t'aidait à retrouver la mémoire des objets, l'étiquetage à leur dire adieu…

«Pourquoi fais-tu tes bagages, maman ? Pour toi ? Pour nous ?

– Pour les deux, ma chérie.

– Et mourir d'un coup sans avoir rien préparé ?

– C'est mieux, bien sûr… Mais en même temps, quand je range, je pense…

– Tu penses à quoi ?

– À tout…»

À tout… Au meilleur et au pire.

À toutes les bonnes choses et à toutes les mauvaises.

Tu devais, grâce aux objets, reparcourir quatre-vingt-douze ans de mémoire, vive comme la joie, vive comme la douleur.

Le travail de deuil… Une succession d'actes:

désenfouir, déterrer, pour revoir, une dernière fois, contempler le passé, le parcours accompli d'une vie.

Un travail pour toi seule ?

Non. Non. Un travail pour moi aussi, puisque j'avais souhaité, voulu t'accompagner, moi, l'apprentie, l'écolière à l'école de la mort, de ta mort.

Le travail était pour moi, aussi bien.

Aujourd'hui, «après», je peux dire que, avec la valse des objets où je me suis laissé emporter, consentante, j'étais au cœur même de ta logique, de ta philosophie.

Tu continuais à m'initier au travers de cette chorégraphie subtile dont je ne mesurais pas, toujours, sur l'instant, l'évidence de la gestuelle.

Habilement tu alternais les figures simples et les figures plus complexes.

J'appellerai figures simples le fait d'emporter de ta maison vers la mienne des objets qui comptaient plus pour toi que pour moi, comme les pierres par exemple, et figures complexes les objets qui comptaient pour moi d'abord, comme mon ours marron dont, depuis très longtemps (donc toujours), tu avais seule la garde et qu'il m'a fallu reprendre, en fort piteux état, les deux jambes et les deux bras bandés avec des vieux bas de nylon t'ayant appartenu.

Avec l'ours marron qui me regarde du haut de l'armoire de ma chambre – qui l'attendait visiblement –, j'ai encore, à l'heure où je parle, une étrange relation. Il est le seul dont la présence me paraît encore incongrue, le seul qui me rappelle durement que je suis orpheline.

Ta logique...

Me faire accomplir, à chacune de mes visites, et en légèreté, des petits deuils symboliques. Les multiplier pour atténuer, adoucir – pensait l'infirmière – les effets du deuil réel, et, comme je l'ai déjà évoqué, m'immuniser ainsi contre sa violence.

Je ne t'ai pas tout dit.

Je ne t'ai pas dit combien je doutais alors de l'efficacité de ton vaccin, en dépit des progrès que je paraissais accomplir sur ma peur. Je n'y ai jamais tout à fait cru, à cette homéopathie de l'âme. J'avais tort. Et pourtant, je faisais comme si. Je jouais le jeu. Je ressemblais un peu à une moribonde se résignant, à tout hasard, au remède de la dernière chance pour ne pas me reprocher de ne pas l'avoir tenté...

Et puis, comment dire... je retrouvais dans la manière dont tu guidais mes pas inquiets et hésitants quelque chose d'incroyablement tendre, familier.

Il me semblait te revoir, tout aussi attentive, m'aidant à tenir ma fourchette ou ma plume pour mes lignes de *o* et de *a*. Tu m'apprenais ta mort comme tu m'avais appris à manger et à écrire, me corrigeant, me reprenant, prête à voler à mon secours, prompte à me soutenir.

«Tu me tiens, hein ?

– Mais oui, je te tiens !»

Que j'ânonne, que je titube sur le chemin inconnu que tu me faisais prendre, tu t'y attendais. Tu me laissais parfois un peu souffler, mais il fallait repartir, quand même. Ne point trop traînailler en route. C'est que le temps pressait. Le temps...

Que te dire sur le temps, le décompte des jours ? Car c'est en jours maintenant que se comptaient les coups de balancier sur l'horloge de ta vie. Te dire qu'il avait encore changé de matière, comme elle-même la peur. Encore une fois, la démesure du réel, et sa violence explosive, se retournait en son contraire, devenait presque abstraite.

Il ne serait pas juste de dire que la souffrance pour moi fut pire les derniers quinze jours qui précédèrent ton geste. Ils étaient autres. C'est tout. J'étais autre. Quelqu'un que j'avais du mal à reconnaître car ce quelqu'un, qui était moi, a décidé d'essayer de les vivre le plus normalement possible, ces deux dernières semaines, comme si tu n'allais pas mourir, comme d'habitude en quelque sorte – c'est ce que tu souhaitais, je le savais. Et ce quelqu'un y est à certains moments parvenu, à la grande surprise des très proches qui étaient dans la confidence et comptaient avec moi les coups de balancier. Dédoublement classique, je sais, mais ô combien efficace pour la tête qui les vit...

J'ai pensé : C'est peut-être quand on est autre qu'on est le plus soi-même...

Ma peur, de plus en plus, labourait le terrain de l'enfance. Comme un fleuve trop plein, elle s'est mise à charrier les débris de mes terreurs de petite fille. Des résidus d'effroi alimentés, toujours, par ta mort qui n'a cessé de me poursuivre ma vie durant…

L'enfance, encore. Tu es malade. Tu es forcément malade.

La gravité de ton mal, je l'associe au linge taché de sang qui trempe dans le lavabo de la salle de bains depuis trop longtemps, et aussi à l'odeur de Javel.

Tu es malade, forcément, puisque la porte de ta chambre est fermée. Ta porte est fermée et aucun bruit ne vient de l'intérieur. J'attends. Longtemps. Coups de balancier, longtemps. Tu n'es donc pas malade, tu es morte. Tu es forcément morte.

Accroupie contre la porte, j'y colle mon visage. J'écoute la mort. C'est la peur de ta mort qui me colle à cette porte de toute ma chaleur aimante d'enfant. Il me semble que si j'y reste assez longtemps, si j'y mets toute mon âme… La porte s'ouvre. C'est mon père. Qu'est-ce que tu fais là, mon loupiot ? Rien. Je fais rien. J'entre. Tu me souris. Sauvée ! Oui. Mais jusqu'à quand ?…

Les deux dernières semaines, toi aussi tu étais comme d'habitude – en dehors des heures de classe, si je puis dire –, étonnamment normale, et tu étais toi-même, contrairement à moi qui étais un peu autre.

Je t'admirais de demeurer toi-même. Ton travail te tenait debout, ta volonté te tenait debout, pour cette ultime tâche à accomplir, l'ultime devoir, en dépit de la fatigue, ton ennemie de toujours. La fatigue, comme la déglingue, ton supplice, ta tristesse.

Il t'a fallu du temps pour la prononcer, la phrase haïssable : «Je suis fatiguée», car elle était interdite pour toi qui en avais fait une règle, une question d'amour-propre, de noblesse d'âme. Pour entendre cette exigence, proche du tabou, il faudrait remonter à tes années d'apprentissage et à cette anecdote que tu te plaisais à raconter d'une surveillante te tançant parce que tes paupières s'étaient fermées deux trois secondes, pendant le cours d'obstétrique, après une journée et une nuit de garde consécutives, sans le moindre repos : «Mademoiselle ! Si vous n'êtes pas capable de résister au sommeil, ce n'est pas la peine de poursuivre des études de sage-femme !»

L'insulte s'était gravée dans la conscience de la jeune fille pieuse que tu étais alors, la Bible sous le bras.

La religion n'était plus, mais la probité morale, oui. Être fatiguée était honteux, et la fatigue une forme de déshonneur que tes quatre-vingt-douze ans ne rendaient pas plus excusable à tes yeux.

Je t'ai vue pleurer de t'avouer fatiguée. Si l'usure t'avait vaincue, c'est que tu avais perdu la bataille contre le temps, et aussi contre toi-même.

Dans l'empathie des dernières semaines, je t'ai regardée comme jamais, pas seulement pour t'inscrire dans ma mémoire, mais aussi pour l'approcher au plus près, cette fatigue qui te faisait finalement renoncer.

Je l'ai vue. Je l'ai sentie, presque ressentie.

Ta fatigue me déchirait, me rendait malade encore une fois. J'aurais voulu redresser ton dos, remplumer tes bras, revigorer tes jambes, te redessiner, t'arracher à la gangue qui défigurait ce corps autrefois si droit, si plein, si alerte, si fondamentalement vivant.

Ta fatigue crevait mes yeux et mon cœur. Elle était là, aussi flagrante qu'elle m'était apparue déjà, deux ans plus tôt, dans la maison du Sud, quand j'avais eu le temps, jour après jour, de la dévisager, de voir de près son ignoble progression, parce que tu ne trichais pas avec elle ni avec nous.

Elles étaient là, plus visibles encore qu'alors, contraignantes, entravantes, les chaînes cruelles de la vieillesse, la vraie ! Proliférantes comme un mauvais lierre !

Tout devenait trop loin, trop lourd, trop haut, trop bas, inaccessible en un mot, ou au prix de tant d'efforts que ta tête, encore vive et fière, ne voulait plus. Elle ne voulait plus que le corps fourbu, moulu, rompu, peine davantage. Et puis, après le corps, qui dit que le lierre ne gagnerait pas la tête, vive et fière, pour l'étouffer à son tour, l'empêcher de marcher droit ?

J'ai compris que si tu ne pouvais accepter la fatigue, c'est aussi parce que tu aimais trop la vie. Il s'agissait là d'une question de cohérence, et non d'orgueil ou de narcissisme, comme on aurait pu le penser.

Il faut parfois l'aimer très fort, la vie, pour préférer la mort.

Il arrive que le choix de la mort soit un hymne à la vie.

J'admettais maintenant, sans effort, que tu souhaites fermer, sans honte, les yeux qui avaient si bien veillé à la marche de ton petit monde, et du grand monde aussi.

Droit de les fermer, les yeux, de ton propre gré, comme on décide d'aller dormir parce qu'il est l'heure, tout simplement, et le devoir de vie accompli. Plus de surveillante pour t'en empêcher. Droit de mourir. Droit de mourir dans la dignité parce que tu t'étais bien battue contre le temps, contre toi-même, jusqu'aux limites de ton propre vouloir.

Le choix de fermer les yeux en mettant fin à tes jours avait nom récompense.

Mourir n'était pas indigne, c'est de rester, si fatiguée, qui l'eût été.

Difficile d'expliquer cela, aux gens, plus tard : « Mais pourquoi donc votre mère a-t-elle mis fin à ses jours ? Elle était malade ?

– Non. Elle était fatiguée. »

Incompréhension. Fatiguée. Était-ce une raison pour mourir ?

Pour toi, oui. C'était une raison. Une bonne et légitime raison. Être utile à la marche du petit monde et du grand aussi. Fonctionner en quelque sorte, comme les ustensiles ménagers, être en état de marche :

«Tu sais, ma chérie, mon four m'a lâchée !

– Ah !... Il faut le réparer, alors !

– Mais non, voyons ! Il est mort, un point c'est tout !»

Même chose avec ton grille-pain et d'autres ustensiles du même ordre, les derniers temps. «Tu vois, tout lâche, tout se déglingue, comme moi. On dirait qu'ils se sont donné le mot, les objets. Ils me précèdent. C'est drôle, non ?» Tu riais...

On ne répare pas un ustensile ménager, comme on ne répare pas une vieille dame trop cassée. C'est tout. Que ce fût drôle est une autre histoire, mais c'est bien à la vieille dame et à elle seule que revenait la décision d'être ou non réparée. Voilà ton sentiment.

Le sentiment de l'irréparable, tu l'as éprouvé avant de le revendiquer, intimement éprouvé, sans te mentir à toi-même. Tu l'as reconnu parce que tu l'attendais, tu t'attendais à sa venue, avec lucidité, ta seule tristesse étant de nous laisser, nous, nous tous que tu aimais.

D'y songer te rendait parfois mélancolique :

«Ma seule peine est de vous quitter. J'aimerais bien, après, vous suivre de là où je serai, soulever un coin du voile. Mais vois-tu je ne me sens pas coupable pour autant de vous abandonner. J'ai eu mon lot de chagrins, il me semble, non ?»

Pas coupable, j'aimais cette idée-là, chez toi pour qui le sens moral servait de guide. Pas coupable de ton geste vis-à-vis de nous.

Partir avant que la fatigue ne t'aliène, avant que ta vaillance ne s'épuise tout à fait, jusqu'à l'inutilité, le mot «inutile» – de même que le mot «indigne» ou le mot «fatigue» – ayant pour toi sa définition propre, singulière, unique comme tu étais unique.

Et nous, de t'accorder à toi et à toi seule le choix de cette définition toute relative, toute subjective de la fatigue, même si nous en aurions eu une autre à te proposer, plus indulgente, moins expéditive, une surtout qui ferait que tu demeures, qu'on puisse te garder encore.

Si je me souviens bien, c'est toi qui évoquas, à ce propos, une nouvelle (d'un recueil écrit il y a longtemps) intitulée *La Blanquette de l'ancienne*. J'y racontais l'histoire, on ne peut plus véridique, du suicide de la propre grand-mère de F.

Mais oui, tu la comprenais, la vieille dame qui s'était jetée par la fenêtre pour avoir raté sa blanquette d'agneau ! Mais oui, il pouvait tuer, le sentiment atroce de l'impuissance liée à la vieillesse ! Donner l'envie de s'arrêter là, de ne pas s'infliger, et infliger aux proches, l'image humiliante de sa propre incapacité. Tu t'identifiais sans mal à ma Raymonde, tout comme à la vieille Indienne, s'éclipsant à la première neige, sentant le moment venu de dire adieu à la vie et aux siens, pour ne pas peser… (Seule la violence du geste te choquait. Tu étais partisane d'une mort douce. C'est mourir en s'endormant que tu projetais pour toi, une mort le plus proche possible du sommeil naturel.)

En repensant à cette évocation, je me souviens d'avoir été extrêmement troublée par le fait que ce sujet, ce suicide de vieille dame, constituait ma toute première plongée romanesque. Comme si, pour moi, écrire devait commencer par là, par cette interrogation sur le pourquoi-comment mourir, au moment même où F. lui-même se mourait précocement et où, sans doute, je sentais mûrir ta propre décision, en pressentais la menace.

Tu étais donc déjà «présente», plus ou moins consciemment, quand j'ai commencé à écrire, comme tu l'avais été, déjà, tandis que je m'appliquais sur mon cahier d'écolière à tracer mes lignes maladroites de *o* et de *a*, au milieu des flacons d'eau oxygénée et de Mercurochrome.

Aujourd'hui que tu n'es plus là pour accompagner ma plume, il me paraît juste de t'écrire à toi toutes ces choses que tu sais et que tu ne sais pas. Tu demeures présente, c'est ainsi, dans ce qui s'est écrit et ce qui s'écrira...

L'enfance, toujours. Mes pleurs sont silencieux. Le dortoir plongé dans l'obscurité. Dans les soixante-dix lits semblables au mien, on dort. Suis-je la seule à sangloter secrètement ? Les larmes silencieuses mouillent plus que les larmes bruyantes : mon oreiller est tout trempé. D'être probablement la seule à pleurer augmente mon chagrin, ma solitude.

«Qu'est-ce que t'as ?»

J'ai réveillé ma voisine, qui n'est pas ma meilleure amie. Ma meilleure amie est dans une autre rangée, du côté des lavabos.

«Rien. J'ai rien.

– Mais si ! T'as quelque chose, puisque tu pleures !»

J'hésite…

«C'est à cause de ma mère… Elle va mourir…»

La voisine compatit :

«Ah ! Elle est malade, ta mère ?

– Non. Non. Elle est pas malade. Elle va très bien.

– Ben alors ?»

J'hésite…

«Elle va mourir… Elle va mourir un jour…»

Silence, côté voisine. Silence et perplexité. Pas de réponse. Qu'est-ce qu'elle pourrait dire ? Elle me tourne le dos pour se rendormir. Je la comprends. Mais je sanglote de plus belle…

Cette scène de désespoir s'est si souvent produite qu'elle est devenue constitutive, pour moi, de mes années de pension (de mes nuits, car le jour j'étais gaie et plutôt délurée). Je n'ai jamais eu aussi peur de te perdre qu'à cette époque, où c'était le moins probable, où rien ne le laissait prévoir.

J'imagine que ces terreurs réminiscentes des derniers jours du compte à rebours, retournant les sols enfouis de l'enfance, n'étaient pas sans raison d'être ni sans vertu. Je me suis demandé si de revivre ces peurs fantasmatiques n'exorcisait pas la peur tangible, et plus concrète que jamais, de ta mort réelle.

Il n'était pas si faux de me poser la question en ces termes, car je vérifierais, bientôt, combien l'idée de ta mort fut autrement plus insupportable que la mort elle-même, le fantasme autrement plus effrayant que la réalité. Je crois bien avoir moins pleuré ta mort vraie que le spectacle déchirant de toi pleurant de fatigue.

Il devait rester une dizaine de jours...

J'avais envie de venir te voir bien plus souvent que tu ne m'y as autorisée. Tu modérais ce désir en usant de prétextes auxquels je me soumettais. Craignais-tu que le décompte des jours ne m'affole ? tout à coup me submerge ? me fasse faire et dire des choses inconsidérées ? Te méfiais-tu encore de mon émotion ? Tu me voulais maîtresse de moi, autant que tu l'étais de toi. C'est ainsi que je pouvais t'aider : en restant calme.

Je sentais que j'abordais la dernière épreuve de mon apprentissage. Il importait que je tienne bon. Accord tacite : ne pas flancher.

Lorsque je venais te voir, juste pour grignoter, soi-disant, le temps, notre temps ensemble, ne finissait pas. Jusqu'au soir durait le grignotis. Je n'arrivais pas à partir et, pour être juste, tu ne me chassais pas non plus. C'est que nous avions à nous dire ! Accord tacite : ne pas flancher mais bien profiter l'une de l'autre, sans que cela soit trop visible non plus, sans en avoir l'air.

C'était comme si on ne s'était pas vues depuis très longtemps et non pas comme si nous ne nous verrions plus pendant très longtemps – ce qui n'est pas tout à fait la même chose.

Avides, c'est cela. Nous étions avides de nous parler, de tout, de rien, des choses essentielles, de ta mort aussi, mais sans ostentation, ni de ta part ni de la mienne. Ta mort, un sujet important parmi d'autres, importants aussi, comme la naissance future d'un nouvel arrière-petit-enfant (que tu ne verrais pas).

Effarant. Effarant que j'aie pu les vivre ainsi, avec toi, ces ultimes rencontres ! Aussi calmement. Je mettrai à part la toute dernière, un peu différente, elle.

Il m'a bien fallu revenir sur mon scepticisme concernant ce que j'appelais tes tentatives de vaccination contre ma peur. Me résoudre à admettre leur efficacité. Le remède, le remède de la dernière chance aurait-il agi ?

Stupeur, pour moi, devant ce prodige. D'être femme m'aidait-il ? Je t'ai questionnée : «Les filles, les femmes, qui mettent au monde, ne sont-elles pas mieux préparées que les garçons, les hommes, à côtoyer la mort ?

– Oui, tu as raison. Les femmes savent cela parce qu'elles l'ont vécu dans leur corps. C'est ce qui manque aux hommes.»

C'était une réponse possible...

Dans les pages que je déchiffrais à présent dans le cahier avec l'étiquette à ton nom écrit en lettres noires, le mot «calme» revenait souvent, donc. Je le laissais m'envahir, m'inonder de sa force apaisante, autant que je le pouvais, le jour surtout, car la nuit l'angoisse me rattrapait encore.

Que tu sois parvenue à m'amener au calme, chacun peut le comprendre et l'admettre, mais je sais qu'il va m'être très difficile de faire accepter l'idée que, les dernières journées passées ensemble, nous les avons vécues gaiement aussi.

Je ne l'aurais pas moi-même vécu que je ne le croirais pas.

Oui, il y a eu de la gaieté, oui, du rire dans l'exercice gigogne de la posture d'adieu.

Lorsque chaque coup de balancier se compte, le temps flamboie. Il s'exalte. Malgré le calme, il se remplit de quelque chose d'ardent aussi. Tout ce qu'on a à dire et à faire, même les choses les plus simples, comme de faire chauffer de l'eau pour le thé, se charge d'essentiel, d'une grâce presque heureuse. Et puis, d'être parvenues, ensemble, jusqu'à la dernière leçon du cahier nous comblait l'une et l'autre. Nous la voulions, notre récompense, après tant d'efforts, tant d'application, toi à transmettre, moi à apprendre. Nous la méritions, non ?

Le rire fut notre récompense.

Inséparable du rire : la profusion. La profusion fut au rendez-vous de nos derniers rendez-vous.

Mon envie de te gâter avait quelque chose d'enragé. Lorsque tu m'ouvrais la porte et me découvrais les bras chargés de paquets et de fleurs, tu ne protestais pas comme d'habitude : «Tu as encore fait des folies !» Non, tu voulais bien. Tu voulais bien de mes folies. Je t'asseyais de force et je courais comme une endiablée vers la cuisine : «On ne va tout de même pas se priver, non ?»

L'œil brillant, l'air gourmand, tu te laissais faire, t'extasiais devant les plats d'huîtres ou les tranches de saumon fumé.

Toi qui, toute ton existence, avais vécu dans une simplicité de principe autant que de nécessité, je t'ai vue jouir des choses comme jamais quand nos grignotis faisaient la fête.

Tu avais décidé, sans la moindre mauvaise conscience, de tout simplement te régaler.

Tes enfants s'étant donné le mot, il est même arrivé que les huîtres deviennent ton quotidien. Cette idée t'amusait : «Dire que le médecin m'interdit le sel !» jubilais-tu, enfantine, légère. Quant aux fleurs – ah ! les fleurs ! –, c'est peu de dire qu'elles furent tes compagnes de joie, les complices privilégiées de ces ultimes agapes.

Les fleurs ont toujours été pour toi l'objet

d'une passion particulière. Je t'ai toujours vue les soigner avec une prévenance qui tenait de la dévotion. Leur beauté te consolait des laideurs du monde. Dans l'émerveillement et la gravité, tu les regardais vivre, s'épanouir puis mourir, car rien ne ressemblait plus selon toi au parcours d'une vie que le destin éphémère, fragile, d'une fleur. Tu l'écriras mieux que moi dans la lettre d'adieu, la missive, si pleine de naturel, qui accompagnera ton geste.

Mais, à présent, que les fleurs t'entourent était bien plus essentiel encore que le boire et le manger. Les contempler, leur parler, les caresser du regard ou des doigts t'aiderait, le moment venu, parce qu'elles venaient de tes enfants, de ceux qui t'aimaient. Ce serait, pensais-tu, notre manière à nous d'être près de toi, à l'heure de partir. Notre façon, belle et délicate, de t'accompagner de loin. Seule tu ne serais pas tout à fait, à l'instant du Grand Voyage, du grand saut. Et puis, ajoutais-tu, malicieuse : «N'est-ce pas mieux d'en profiter maintenant ? Maintenant que je peux les apprécier ? Tu trouves cela gai, toi, les couronnes ?»

Je souriais à mon tour. J'étais bien obligée

de convenir que les fleurs mortuaires, les morts n'en profitent guère. Mais ce que je retrouvais, à travers ce désir farouche de ritualiser ta mort et que j'avais déjà entrevu à travers la danse des objets et la chorégraphie du don, c'est ta volonté forcenée d'inverser la symbolique du deuil : tu voulais vivre *avant* les gestes de l'*après*. Tu souhaitais, le plus possible, accomplir *avec nous* le temps du deuil, le temps de la mort.

De même que le jour de mon anniversaire tu avais fait en sorte de me préparer toi-même à ton absence future pour tous mes anniversaires à venir en faisant un peu semblant d'être déjà partie, de même toutes les fleurs que nous t'apportions à la veille de ta mort devaient servir à ne pas la faire durer sans toi.

Il n'y aurait donc pour toi pas d'autres fleurs que celles dont tu aurais profité, pas d'autres fleurs que celles de la vie. C'est sur ton corps vivant que j'ai déposé les gerbes de ta mort... Je l'ai partagée avec toi dans l'odeur suave des lis, des amaryllis.

*

* *

Huit jours... Tous les indices coïncidaient. Il ne devait rester qu'une huitaine de jours. J'ai pris U. contre moi. Me suis serrée contre lui :

«Dans une semaine, je n'aurai plus de maman.

– Oui, je sais.

– Tu m'aideras ?

– Oui.»

U. pense à son père, qui a quatre-vingt-douze ans, comme toi. Lui aussi va mourir, mais normalement, si je puis dire, d'une maladie qui aura bientôt raison de lui. Curieux effet de miroir entre U. et moi : nous sommes à l'âge où nos parents s'en vont.

Dans le miroir d'amour, être orphelins ensemble ne sera pas rien.

U. lui a dit ta décision. Il la comprend, en admire le courage. Il voudrait vivre, encore, pour sa femme. Que deviendrait-elle sans lui ? C'est son seul tourment. Il a quand même demandé au médecin si elle existe, la pilule de la mort...

Toi, tu étais libre. Le choix de mettre fin à tes jours avait nom liberté. Une liberté, pour la sage-femme, indissociable de celle de la conception. Tu t'étais battue pour cela aussi, pour le droit à donner ou non la vie, toi qui accouchas les mères.

Choisir la vie, choisir la mort relevaient de la même exigence. Une même logique: «Tu verras, un jour nous l'aurons, ce droit à la mort digne. Tu verras, cette bataille, nous la gagnerons aussi.»

Il ne restait qu'une huitaine de jours, donc, et on nous proposait des sorties, des dîners, à U. et à moi. Accord tacite encore: tenter de continuer de vivre normalement. Je répondais oui, mais en pointillé: «Je ne sais pas si nous serons libres...» Difficile d'être plus précis.

De penser à ce que je ne disais pas me faisait un curieux effet: «Euh... mercredi tant... Eh bien, oui, peut-être... si ma mère ne se tue pas ce soir-là...» Un effet inédit, jamais vécu, jamais imaginé... Impression d'être devenue un personnage pour un rôle qui me dépassait mais dont je savais le texte par cœur. Je me récitais mon texte, le texte du personnage.

Toi aussi, maintenant, tu y étais, dans le décompte des jours. Un matin, au téléphone, je t'ai demandé comment tu te sentais: «Tu sais, je vis de drôles de choses en ce moment... La nuit, j'y pense autrement, as-tu répondu.

– C'est-à-dire, "autrement" ?

– Je me réveille. Je compte les jours. Et puis je me dis : "Voilà !"

– Avec angoisse ?

– Non. Je me dis "voilà". C'est tout. Et puis, cela fait si longtemps que je pense à cela... L'angoisse s'est étalée, si tu vois ce que je veux dire... »

Je voyais, oui. Je voyais même très bien parce que, avec toi, moi aussi, après mes trois mois d'apprentissage, je parvenais, à mon tour, à me dire «voilà» à certains moments de la journée, et même de la nuit...

Mes étudiants, à l'université, me sont devenus plus essentiels encore qu'à l'habitude. Ils me tenaient, sans le savoir. Ils faisaient partie de ma normalité, m'obligeaient à tenir la rampe du réel. Les cours, inchangés, suivaient leur cours.

À l'atelier d'écriture, où les relations sont plus personnelles et où la subjectivité n'est pas interdite, je me surveillais. Je ne me lâchais pas du regard. Mais quand même, lorsqu'il a été question de définir un personnage commun, j'ai influé sur le choix d'une vieille dame. J'avais dans l'idée de la faire mourir, bien sûr. J'avais besoin d'écrire, ce jour-là, la mort d'une vieille dame. Quand, mon tour venu, j'ai lu mon texte, ma voix n'a pas tremblé. Tu aurais été fière de ta fille...

Les enfants de tes enfants ont été vivement encouragés à te rendre visite. Ils devinaient plus ou moins. Mon enfant, A., de l'autre côté de l'Atlantique, savait, depuis qu'il était parti. Vous vous étiez déjà dit adieu avant l'automne. Il voulait entendre ta voix, par-dessus les mers océanes, si loin de toi (et de moi), inquiet pour toi (et pour moi).

A. m'a dit qu'il t'avait appelée. Il m'a raconté qu'il avait pleuré. «Je ne veux pas que tu aies du chagrin, lui as-tu dit.

– Je n'ai pas du chagrin. J'ai de l'émotion, t'a répondu A.

– Ah ! ça, l'émotion, c'est bien !»...

Géniale distinction, entre le chagrin et l'émotion ! Du grand art, digne de toi, inouï, un peu comme ta décision... C'est ce que je t'ai fait remarquer, le lendemain, en arrivant chez toi. Tu en es convenue, très sagement. Convenue aussi de ce que tu nous demandais beaucoup à tous. J'aimais bien quand tu admettais, sagement, que ce que tu nous faisais vivre était difficile. Il n'y avait plus qu'à sourire.

C'était le jour que j'ai nommé «le jour de la chemise de nuit». Je n'arrive pas, aujourd'hui encore, à lui donner d'autre nom. Tout cela à cause de l'orchidée, de l'orchidée mauve. Je l'avais apportée avec le sentiment qu'elle t'était destinée. Ce fut ton sentiment aussi.

En l'admirant, tandis que nous dégustions nos huîtres, la question a surgi de la chemise de nuit. Dialogue inoubliable pour une scène sans équivalent du théâtre de la vie :

«Tu sais, ma chérie, je m'interroge pour la chemise de nuit.

– ...

– Je me demande laquelle je vais mettre... J'aimerais beaucoup m'en aller avec la vieille chemise avec les fleurs mauves. Tu sais, des fleurs mauves, comme ton orchidée. Des chemises de nuit, j'en ai d'autres, presque neuves et très belles, mais celle-là, c'est ma préférée, tu comprends ? Seulement, il y a un problème.

– ...

– Va la chercher dans la salle de bains, veux-tu ?»

Quelqu'un s'est levé. C'était moi. Je suis allée prendre la chemise dans la salle de bains. Plongeon rapide dans le tissu moelleux... L'odeur ? La même que celle de ton cou, de tes bras, celle du savon de Marseille, l'odeur de mes bains d'enfant...

Je t'ai apporté la chemise et tu m'as demandé de l'examiner sur l'envers. «Tu vois, elle est toute rapiécée ! Je l'ai tellement portée... Je n'ai jamais pu m'en séparer... On va me trouver là-dedans, dans une chemise de nuit toute rapiécée ! Ça la fiche mal, non ? De quoi j'aurais l'air ?»

C'était trop ? C'était trop.

J'ignore qui, de toi ou de moi, a commencé. Nous fûmes prises d'un fou rire qui méritait son nom. Telles deux folles, nous avons ri. Impossible de nous contenir puisque, après le fou rire, nous avons ri du fou rire, au point d'en pleurer, au point de crier «Pouce !».

Ces folles larmes n'étaient pas équivoques. Ce n'était pas du désespoir déguisé en joie. Non, c'était un rire pur, absolu. Un rire diamant.

Quand nous avons recouvré un peu de notre calme, le diamant du rire étincelait encore et ce n'est pas tout à fait sérieusement que j'ai proposé que tu accroches sur la chemise le petit mot suivant: «Elle est très abîmée. Je sais. Mais je l'aime.» Une proposition qui a bien failli redéclencher le fou rire...

Le jour de la chemise de nuit, l'orchidée mauve aidant, tu m'as montré le brouillon de la lettre d'adieu, celle que tu souhaitais envoyer à tes amis et proches. «Dis-moi si elle convient, veux-tu, et corrige-la si cela te paraît nécessaire.»

J'ai lu la lettre, écrite visiblement dans la plus totale spontanéité, sans effets de style et si semblable à toi, pour cette raison même.

J'ai dit que la lettre était parfaite ainsi (elle ne l'eût pas été d'ailleurs que je n'y aurais pas plus touché) comme j'aurais dit de n'importe quelle autre lettre. Je n'ai rien montré de ce qu'elle remuait en moi.

Me soumettre ta lettre d'adieu qui légitimait ton geste, avant le geste, faisait partie pour toi du rituel, de l'initiation.

Le jour de la chemise de nuit, nous avons évoqué la prochaine visite. Je me doutais que tu allais dire ce que tu as dit alors : «Ce sera la dernière, ma chérie...»

Je m'en suis doutée à cause du fou rire, précisément.

«Je ne te reverrai plus après ?

– Non. Il me faudra rester seule.»

J'ai rêvé, ou bien je t'ai sentie émue d'avoir à prononcer ces mots ?

«Mais j'aurai le droit de te téléphoner ?

– Oui. Tu auras le droit.

– Autant que je le veux ?

– Autant que tu le veux.

– Jusqu'à... *(J'ai hésité.)*... jusqu'à la fin ?

– Oui. Jusqu'à la fin.»

★

★ ★

J'ai bien cru que la peur, plus suintante que jamais, allait revenir.

J'ai pensé : Tout le travail accompli avec toi, dans le cahier d'apprentissage, se pourrait-il qu'il n'ait servi à rien ?

Je me suis demandé si d'avoir été à ce point préparée à ta mort ne se retournerait pas contre moi. Si je n'étais pas, à cause de cela, et paradoxalement, plus démunie que n'importe quelle fille. Si mon calme relatif n'était pas un leurre, une illusion. Si tu ne t'étais pas trompée sur ta confiance mise en moi. Je doutais.

J'ai commencé à imaginer la dernière visite. Tout : les gestes, les paroles. Les regards. La porte qui s'ouvre. La porte qui se referme. Mon arrivée, mon départ, les mots qu'il me faudrait prononcer. Comment dire ? Quoi dire ? Les derniers mots. Quels seraient les derniers mots et le dernier baiser ? Où, quand, comment le dernier baiser ? Chaque mise en scène me saignait à blanc.

Répétition générale. Couturière en costume de scène. Mon texte ? Quel était mon texte ? Le texte du personnage de la fille qui voit sa mère pour la dernière fois ? Qu'est-ce qu'elle va dire, la fille, à sa mère ? Qu'est-ce que j'allais te dire ? Et toi ? Toi, le savais-tu, ton texte ? Le texte de la mère qui voit sa fille pour la dernière fois, l'avais-tu préparé ? Appris par cœur ? Qu'allais-tu me dire ?

Je marchais à grands pas dans ma chambre. Je m'asseyais devant la photo, la photo du jardin du bord de mer. Toi et moi. Nous deux. La balançoire parfaite d'équilibre sur les herbes hautes, sur l'inconnu...

Tu me tiens, hein ?

Mais oui, je te tiens...

Quand tu m'as ouvert la porte, l'imagination s'est arrêtée, d'un coup, de galoper, de me vider de mon sang. Je me suis sentie enveloppée du chaud manteau du réel. Quand tu m'as ouvert la porte, la peur, je l'avais oubliée, car tu étais là, lumineuse, devant moi, dans ton survêtement bleu.

Le survêtement bleu. Ta tenue d'intérieur. Pour quand tu ne sors pas. Parce que tu ne sortirais plus. Usée – comme la chemise de nuit aux fleurs mauves –, elle m'a toujours semblé un peu décalée, cette tenue sportive, sur ton corps défait, cassé. Je t'ai aimée dans le survêtement bleu.

Je ne t'ai pas dit, quand la porte s'est ouverte sur toi, pour la dernière visite, comme je fus heureuse que ce fût celle-là, ta dernière tenue.

Le bleu : ta couleur préférée, le bleu du ciel, de la sérénité, le bleu qui m'a conduite à ma *Dame en bleu* à moi, ce conte où je stigmatisais la course effrénée de nos sociétés et dont tu fus aussi (ça, je te l'ai dit) l'inspiratrice, ce jour où, lasse de la violence du monde et de ses batailles quotidiennes pour demeurer dans le rang, j'ai eu de toi la vision, nimbée de bleu, dans l'apaisement de celle qui avait achevé sa vie et goûtait enfin à la paix des choses, ce jour où je t'ai enviée d'avoir fini, d'être arrivée au bout du chemin, ce jour où moi-même j'ai souhaité, le temps d'une vision, être à mon tour une vieille dame en bleu…

La dernière visite avant ta mort fut de toutes la plus vivante. Nous sommes parvenues – jusqu'au moment de se quitter – à faire de ces heures passées ensemble quelque chose d'infiniment radieux.

J'ai compris que cette visite, tu la voulais identique à toutes les autres vécues depuis toutes ces années. Elle ne devait pas être différente, surtout pas. Rien à voir avec ce que j'avais pu me figurer. De nouveau, j'ai pris la mesure de la simplicité du réel et j'en ai vécu la grâce autant que j'ai pu.

Nous avons dégusté cette journée sur tous les modes possibles. Nous en avons éprouvé toutes les variations. Nous avons revisité, en accéléré, toutes les postures mère-fille de notre histoire, comme si elles devaient aboutir là, à cette dernière visite, à cette posture d'adieu naturelle.

Nous n'avons pas pour autant fait semblant d'oublier ce pourquoi nous étions réunies. Tes préparatifs de mort furent plus que jamais présents, et la leçon du jour sans concession.

À plusieurs reprises j'ai eu encore cette sensation d'être moi et quelqu'un d'autre, sans trop me poser de questions. Je suppose, aujourd'hui, que l'autre moi-même me relayait parfois. Nous n'étions pas trop de deux, l'autre et moi, pour vivre ce que nous avions à vivre.

Le déjeuner fut… Je ne trouve pas l'adjectif pour le qualifier.

Toi qui disais manger sans faim, par devoir, je t'ai vue savourer chaque huître avec une volupté mêlée de componction. Tu t'es même excusée de ta gourmandise. On aurait dit que tu buvais à la source toutes les mers du monde que tu allais quitter, et qu'ainsi tu le remerciais, le monde, pour son offrande marine.

Je ne parvenais pas à me détacher de ce spectacle. À un moment, je me suis perdue dans la contemplation de ton visage et de tes mains, promenée dans ce paysage familier dont j'avais suivi la poignante métamorphose. Silencieuse, je te regardais. Je faisais l'inventaire. Je voulais que ma mémoire fixe pour toujours ce que je ne reverrais plus, que je fasse provision, pour le restant de mes jours, du souvenir de toi, jusqu'au moindre détail, que je photographie chaque expression, chaque nuance de vie de ce corps usé et fier.

Tu dégustais tes huîtres. Moi, je te mangeais des yeux, avec la même volupté mêlée de componction. Je me suis perdue dans la contemplation de ta beauté.

Tu as senti soudain, sur toi, mon regard égaré et intense qui, à la fin, a dû devenir un rien mélancolique. C'est alors que tu m'as posé cette question, extravagante : « Qu'est-ce qui se passe, ma chérie, il y a quelque chose qui ne va pas ? »

Ce n'est pas tant la question que j'ai trouvée extravagante que le ton avec lequel tu l'as posée. Qu'est-ce qu'il y a, ma chérie, tu as mal quelque part ? Quelqu'un t'a fait de la peine ? Tu as un gros chagrin ?

Question candide d'une mère qui voit bien que sa fille a un problème.

J'en avais un, de problème, oui, et même un sacré problème.

Ma réponse est venue aussi naturellement, je crois, que ta question. Ma réponse est venue, toute simple (aussi simplement que la phrase de ta mort annoncée), sans effets de manches, sans agressivité non plus : «Eh bien, non, je n'ai rien, presque rien, ai-je répondu, souriante, sinon que tu vas te suicider la semaine qui vient, et que je te vois, aujourd'hui, pour la dernière fois.»

Le plus incroyable est que, visiblement, tu ne t'y attendais pas, à cette réponse. Le plus inouï est que, dans le bonheur partagé de ce repas, tu l'avais peut-être oublié, ce rien, ce «presque rien» qui me rendait un rien mélancolique.

Temps suspendu. Flottement devant cette réponse énorme.

Et puis, évidemment, le rire a fusé. Pour moi ce ne fut pas tout à fait le rire de la chemise de nuit. Il était différent. Un rien mélancolique, lui aussi.

Pour le dessert tu avais tenu à faire un riz au lait. Tu avais dû le préméditer, ce dessert, ce riz au lait tout droit exhumé de l'enfance…

Avec le riz au lait nous avons inversé les rôles : c'est moi qui l'ai mangé et toi qui m'as contemplée. Tu as regardé ta fille qui se régalait de ton riz au lait, sachant que ce spectacle, vécu des centaines de fois, tu ne le verrais plus.

En y repensant, je me dis que cette posture de tour de rôle, de chacune son tour, nous l'innovions.

L'après-midi, nous sommes allées en classe pour la leçon, si je puis dire.

La leçon du jour, de ce dernier jour passé ensemble, ne fut pas la moindre. Je n'en ai gardé cependant que le souvenir ludique.

J'avais bien remarqué, en arrivant, les cartons remplis d'enveloppes près de la table de la salle à manger. Il s'agissait des lettres d'adieu. Quelque deux cents en tout. L'enveloppe qui m'était destinée était là aussi. Je l'ai vue. J'aurais pu l'ouvrir, si j'avais voulu…

Pendant deux bonnes heures, toi et moi avons vérifié les adresses, rectifié les possibles erreurs de ce courrier pas comme les autres qui devait être posté, selon ton souhait, le jour même de ta mort ou le lendemain.

De bonne grâce je t'ai dicté quelques adresses

que tu recopiais, de ta belle écriture penchée. J'ânonnais comme si c'eût été moi la maîtresse et toi l'élève appliquée.

Ce doit être cette situation, inversée elle aussi, qui a déclenché les premiers rires et fait que ce travail quelque peu surréaliste se transforme en un jeu d'une drôlerie extrême, incompréhensible, peut-être même déplacée, sans doute, pour qui ne l'aurait pas vécu comme nous.

De temps en temps tu t'esclaffais : «On aura bien ri, hein ?» Alors ce futur antérieur me rappelait à l'imminence de ta mort. On aura bien ri... Oui, c'est ce qu'on aura fait avant, avant ton geste qui, du coup, redevenait ce qu'il était : irrévocable. À cette idée mon cœur se serrait...

J'ai pensé : Je ne connais personne, hormis ma mère, qui ait soi-même veillé à l'envoi de ses lettres de «faire-part» pour sa propre mort.

Nous en revenions donc toujours au même procédé : me faire vivre, avec toi, ce qui d'ordinaire s'accomplit après. Anticiper le rituel de deuil.

Une fois de plus, il était clair que les cérémonies de la mort, tu n'en voulais pas *post mortem*. Mais pour qu'elles soient vécues avant, c'est à une tout autre grammaire du deuil que tu devais m'initier, à un effort particulier de la pensée, un travail philosophique, un peu à la manière socratique. Mais, au fait, la mère de Socrate n'était-elle pas sage-femme ?

J'ai appris la mort autrement, dans un langage inconnu et finalement familier. Une nouvelle langue maternelle, en quelque sorte, celle de la mère qui s'en va…

Cependant, le temps de se quitter arrivait droit sur nous.

Tu m'as demandé d'aller te chercher ton journal. Comme je le faisais à chaque fois, et, comme à chaque fois, tu as tenu à ce que je prenne l'argent préparé à cette intention sur la desserte.

Sur la desserte, il y avait plusieurs petits tas de monnaie pour l'achat des journaux à venir, destinés à celui ou celle qui se chargerait de cette tâche du soir.

Si je les avais comptés, les petits tas, j'aurais vu qu'il n'y en avait pas pour la semaine entière, j'aurais su, en les comptant, le jour précis de ta mort… Quelqu'un d'autre le fera. Quelqu'un saura et me dira.

Dehors, j'ai trouvé qu'il faisait très froid et très sombre. Il ne fallait guère plus de cinq minutes pour l'achat du journal. Le temps pour moi de me préparer. De préparer. Préparer ?

J'ai imaginé, de nouveau, les gestes, les paroles, les regards définitifs, à faire, à dire.

En passant devant le supermarché, je me suis rappelé une certaine nuit où, par le même froid, il y quelques années, tu avais tagué les vitres du magasin au nom d'un combat que tu menais alors. Je n'ai pas pu m'empêcher de lui sourire, à la vieille dame indigne, rageuse et indisciplinée. C'est dans l'indiscipline encore que tu choisissais de mourir, contre les mœurs, les coutumes du moment.

La marchande de journaux m'a reconnue. J'ai failli lui dire : «C'est la dernière fois que je viens, pour ma mère.»

Au retour, les mots, les gestes définitifs me semblaient sonner faux...

En rentrant, je t'ai trouvée assise dans le fauteuil, au bout de la table de la salle à manger. Tu m'attendais, pensive. Je t'ai tendu le journal.

C'était le moment, l'instant redouté.

J'étais debout, devant toi.

J'avais tout oublié. Ce que je voulais dire. Ce que je voulais faire.

Du texte de la scène d'adieu, des gestes de la scène d'adieu, je ne savais plus rien.

Parce que plus rien n'allait.

Je ne me voyais plus, plus du tout, me jetant à tes pieds, ma tête sur tes genoux, t'enlaçant de mes bras, te dire mon amour, comme on fait dans les livres, ou au théâtre. Nous ne l'avions pas travaillée, la grande scène des adieux. Elle n'était pas dans le cahier avec l'étiquette à ton nom, et encore moins les larmes qui montaient.

Les larmes n'étaient pas dans la dernière leçon.

Je nous ai senties en danger, comme au téléphone le jour de mon anniversaire, l'équilibre menacé. Nous fléchissions. Elle tanguait, la balançoire. Alors tu as parlé d'une voix très faible, presque plaintive: «Ne pleure pas, as-tu dit. Si tu pleures, moi aussi je vais pleurer, pleurer sans pouvoir m'arrêter.»

Pour la première fois, depuis ces trois mois du compte à rebours, ton émotion te faisait peur. Tu craignais pour tes forces, ton courage. Le «Ne pleure pas» ne s'adressait pas seulement à mes pleurs de fille. Il s'adressait, cette fois, et d'abord, à tes pleurs de mère, celle qui aujourd'hui voyait partir sa fille. Ravaler les larmes. Vite.

J'étais toujours debout. Je balançais, d'un pied sur l'autre, sans pouvoir faire autre chose que de balancer, comme font parfois les fous quand la souffrance lancine et qu'ils n'ont pas les mots.

J'ai pensé : Allez, pars maintenant. Simplement. Tu l'embrasses et tu pars.

Je suis allée vers toi. Me suis penchée. Ralenti.

De notre baiser je n'ai pas souvenir. Je sais qu'il y a eu baiser. C'est tout.

Je me suis retrouvée dans l'escalier avec dans les mains le reste du riz au lait dans un ramequin en porcelaine blanche. C'est donc que tu t'étais levée pour me le donner ?

Avant que la porte se referme, je ne l'ai pas entendue, la phrase : «Tu peux partir tranquille, ce n'est pas pour maintenant.»

C'était pour maintenant.

*

* *

Ce soir-là, je ne t'ai pas téléphoné. Pour te dire quoi ? Que j'avais évidemment versé en descendant l'escalier toutes les larmes ravalées ? Pour te demander quoi ? Si tu avais fait de même, de ton côté, aussitôt la porte refermée ?

Non, le téléphone, notre dernier lien, pour les jours restants, devait servir à autre chose.

Ce n'était certainement pas pour me lamenter que j'avais le droit de t'appeler autant que je le voudrais.

Ce samedi-là, U. et moi, nous sommes allés au théâtre. Je crois que je l'ai fait surtout pour pouvoir te raconter, le lendemain matin, que j'étais allée au théâtre et t'entendre dire : «C'est bien, ma chérie.»

Dans la nuit, réveil brutal : je ne t'avais pas bien embrassée ! Je ne t'avais pas suffisamment serrée dans mes bras ! Je ne t'avais pas assez regardée ! Aurais-je assez de ces sensations pour jusqu'à la fin de ma vie à moi ? Non ! Pas assez ! Jamais assez ! Pas assez de provisions ! Je ne savais même plus la couleur précise de tes yeux !

J'ai décidé de t'arracher un autre rendez-vous, une autre dernière visite, et me suis rendormie sur cet espoir...

C'est toi qui m'as réveillée : «Elle dort encore ma chounette ?»

Tendre la voix. Vivante la voix. Et ce surnom enfantin dont toi seule avais le code, si doux. Réveil de l'enfant par sa mère. Réveil de l'enfance. À l'enfance. Voix claire, enjouée. Ta voix ! Il me restait ta voix pour tenir, être tenue, bien sûr. À ta voix je pouvais encore m'accrocher.

J'ai trouvé dépourvue de sens mon idée de la nuit, l'idée de te revoir. Si je te revoyais, je voudrais te revoir et te revoir encore...

Je t'ai raconté pour le théâtre, et tu as dit : «C'est bien, ma chérie.» J'en ai profité aussi pour t'avouer que je dormais mal. «Ça, c'est moins bien, tu as dit. Je te l'interdis.»

Tu allais mourir et tu m'interdisais de mal dormir... Cela m'a fait rire, et toi aussi tu as ri, à la fin, quand même.

Nous avons passé près de trois quarts d'heure au téléphone. J'ai eu dans l'idée que nous allions en abuser, du téléphone. Tant que je voudrais. Tant que tu voudrais.

Nous avons poursuivi le travail des faire-part, avec légèreté, toujours, et nous nous sommes quittées plutôt gaiement.

Tu m'as appelée de nouveau, peu après, désolée : tu avais mis l'orchidée mauve au frais pour la nuit et venais de la retrouver très mal en point. « Elle a souffert. Elle a eu froid...

– Elle va se remettre, ai-je promis, sans trop y croire.

– Non. Je ne pense pas... »

Je t'ai sentie mal en point toi aussi. L'orchidée, c'était toi, et le froid...

« Je suis si fatiguée. »

J'avais donc raison. Non, elle ne se remettrait pas, l'orchidée mauve.

Ta fatigue t'a fait presque pleurer, une fois de plus. La fatigue, ton ennemie, l'indigne fatigue.

« Je sais », ai-je répondu.

Je savais que contre l'indignité de la fatigue tu avais le remède, et que tu allais le prendre, bientôt, très bientôt...

Oui, nous avons usé, abusé du téléphone. Ce n'était pas nouveau, d'ailleurs.

Depuis bien des années déjà, nous avions pris l'habitude excessive de ces conversations quotidiennes. Il fallait que nous nous parlions. J'avais besoin d'entendre ta voix. Envie de cette musique dans l'oreille.

Il t'arrivait de t'en inquiéter au point de me demander de moins t'appeler, «car, insistais-tu, un jour je ne serai plus là». Tu voulais que je me détache, apprenne à vivre sans cette musique. Alors je faisais un effort. Je ne t'appelais plus, rongeant mon frein, mais c'est toi qui, au bout de quelques jours, rompais le pacte en protestant : «Mais que se passe-t-il, tu m'as oubliée ou quoi ?» J'en avais donc déduit que tu étais atteinte du même mal délicieux...

Plus tu as vieilli, plus le téléphone m'a été précieux, car de plus en plus, je crois, j'ai presque préféré t'entendre plutôt que de te voir quand je n'arrivais pas à faire coïncider ta voix de toujours, cette éternelle voix de jeune femme, de jeune mère, avec cette vision de toi usée.

La cruauté de l'âge n'avait rien pu contre ta voix. Elle seule était demeurée intacte, inchangée. D'ailleurs, tu sais, ton téléphone, il est chez moi, maintenant. J'ai voulu le garder. Un peu de ta voix est restée dedans...

Mais pour le moment, il s'agissait d'autre chose.

Te voir étant impossible, t'entendre m'était autrement essentiel. T'entendre, c'était te voir. Grâce à ta voix, je la retrouverais, la couleur de tes yeux, l'odeur du savon de Marseille de ta chemise de nuit. Tu étais tout entière et vivante par la voix.

Lundi. La voix était rieuse, lundi. Tu étais débordée. Tu te trouvais brouillonne. Mal organisée. Tu craignais de n'être pas prête. Et moi je te rassurais, te promettais que tout allait bien, que tout irait bien, que tu serais prête.

«Et l'orchidée ? ai-je demandé.

– Elle est penchée de partout !

– Un peu comme toi, non ?»

Rires…

L'approche du Jour maintenant te dopait, te survoltait. Je n'en revenais pas de t'entendre si vivante. Tu étais trop vivante. C'est cela.

F. était mourant, c'était différent. Sa mort, on la voyait. Elle était déjà visible dans son corps malade.

J'ai pensé : J'ai peur que tu sois encore plus morte d'avoir été trop vivante.

«On peut s'appeler, n'est-ce pas, maman ?
– Oui, autant que tu le veux.»

Chaque fois que je t'ai appelée, nous étions gaies. Dès que je raccrochais, j'étais au désespoir. Je ne te l'ai pas dit. Je ne t'ai pas tout dit.

Dans la nuit, j'ai pensé au brassard noir que l'on portait, autrefois, lorsqu'on avait perdu un être cher. J'ai regretté que ce ne soit plus l'usage, ce signe extérieur de la tristesse. Aujourd'hui, la souffrance du deuil ne se partage pas. Elle demeure secrète et solitaire. Pour ne pas dire taboue.

Avant que tu nous quittes, j'ai marché avec ce secret à porter de ta mort imminente. Mais quand tu fus partie, je l'ai eu mon brassard, à ma façon. Une façon qui t'amuserait, toi qui, comme moi, ne détestais pas les signes. Il faut que je te dise.

Te dire, donc, que deux semaines jour pour jour après ton départ, et à l'heure exacte de ton geste, j'ai fait une chute dans la rue, devant une confiserie que j'affectionne et dont l'enseigne m'a fait m'esclaffer, malgré la douleur : «À la mère de famille». Oui. Je suis tombée devant «À la mère de famille» !... L'attelle à ma main droite, je l'ai nommée «mon brassard blanc du deuil». Aurais-je pu l'appeler autrement ?

Un mois durant, je l'ai porté avec ostentation. On me souriait dans la rue. On me traitait comme un objet fragile. On me voyait blessée. C'était bien davantage. Ma main bandée désignait, pour moi seule, ton inéluctable absence. N'est-ce pas aussi la main que tu avais tenue pour m'emmener vers ta mort ?...

Mardi. Je n'ai jamais autant aimé le métier d'enseigner. Avant de sortir, j'ai voulu te faire juste un baiser du matin. Il faisait si beau ! Ta voix : belle aussi, décidée, presque heureuse.

«J'ai du courage, oui. C'est vous, mes enfants, qui me donnez du courage par le vôtre. Si vous n'en avez plus, je perds le mien.

– On en a, maman, on en a.

– C'est bien. C'est bien.»

On en avait ? Comment savoir si j'en avais ?

Devant le miroir de la salle de bains, je me suis surprise à fredonner, quelques secondes. Je n'ai pas eu honte de fredonner. J'ai trouvé soudain très simple, très normal, très léger, très juste, très parfait le calme de ma mère qui se préparait à mourir.

Mes étudiants m'attendaient en finissant leur sandwich. J'ai aimé leur appétit et leur joyeux brouhaha avant que je prenne place derrière le bureau. Ils m'ont tenue toute la journée. N'ont rien vu. Rien senti.

À la sortie de l'atelier d'écriture, une étudiante m'a remerciée dans l'escalier. Je lui ai répondu aussitôt : « C'est moi qui vous remercie. Vous m'avez beaucoup aidée, aujourd'hui ! » Elle m'a regardée sans comprendre. Elle comprendrait, plus tard…

Arrêt à ma pharmacie : « Voilà. J'ai… j'ai du chagrin en ce moment. Je pleure beaucoup. Auriez-vous quelque chose pour mes yeux, quelque chose d'apaisant ? »

On m'a proposé un loup de plastique bleu rempli d'un gel spécial. Le loup devait séjourner dans le frigidaire avant d'être posé, glacé, sur les yeux. Je l'ai appelé « le loup du chagrin ». Le comble de la civilisation, ce loup bleu, pour un bien sombre carnaval…

Mercredi. J'ai su que, sur la desserte, il n'y avait plus du tout de monnaie pour l'achat de ton journal, plus aucun petit tas. Et puis ce téléphone :

«Tu seras à la maison, ma chérie, demain ?

– Oui, maman.

– Toute la journée ? Tu ne bougeras pas, n'est-ce pas ?

– Oui, toute la journée. Le soir aussi. Non, je ne bougerai pas. Je serai là.»

C'était donc pour demain.

Vertigineux appel. Doute sur moi-même, encore. La seule chose dont je ne doutais pas, c'était de mon choix d'être, jusqu'au bout, près de toi, par la voix, notre lien gigogne. À cause du cahier. De l'apprentissage. Des trois mois passés ensemble à en tourner les pages. Du chemin parcouru, ensemble, toi et moi. Du travail accompli.

M'aiderait-il, le travail accompli, au dernier jour d'école ?

Ce mercredi soir, le destin a fait que nous étions conviés à fêter la mémoire d'une très chère amie, disparue. Avant de sortir, nous nous sommes regardés avec U.

«Dans vingt-quatre heures, je n'aurai plus de maman.

– Oui, je sais.

– Tu m'aideras ?

– Oui.»

L'amie fut fêtée pour moi de la plus étrange manière. Comme ses grands enfants à elle, déjà, je me suis sentie orpheline.

Dans la nuit, j'ai écouté les battements lents et implacables du balancier sur l'horloge de ta vie.

*

* *

Jeudi. Voilà. Nous y étions.

Le compte à rebours s'arrêtait là.

Ce serait donc le 5 décembre.

C'est à cette page que s'inscrirait ta mort dans le calendrier.

Autant que je le voulais, autant que tu l'as voulu, nous nous sommes appelées, ce jeudi. Nous avons reparlé de l'orchidée : «Tu sais, ma chérie, ton orchidée, elle a gardé sa couleur merveilleuse mais elle pleure, simplement.

– Oui. Bien sûr. C'est normal qu'elle pleure, maman…»

Nous avons refeuilleté quelques pages du cahier, le cahier qui m'avait menée là où j'étais aujourd'hui, grâce aux leçons, à la leçon.

Nous n'avons rien dit de mes doutes et de mes peurs.

Nous avons tourné les pages du rire, de tous les rires.

Tu m'as promis qu'après tout irait bien pour moi.

Tu semblais dire que le deuil de toi serait fait, que nous l'avions fait ensemble.

Je ne savais pas encore que c'était vrai. Car ce fut vrai. Dans quelques heures, bientôt, très bientôt, je le saurais.

Tu me souhaitais calme, comme toi-même l'étais.

«Comment te sens-tu, maman ? Dis-moi, comment es-tu ?

– Je suis bien. Je suis en paix.»

Miel des mots. Baume de ces mots.

J'ai profité de ta voix, de cette musique dans l'oreille. Cette voix de mère inflexible qui s'imposait de partir au nom de la dignité. Cette voix de mère aimante qui voulait laisser d'elle, à ceux qu'elle aimait et parce qu'elle les aimait, l'image de son intégrité.

Près de moi, ce jeudi, U., seconde après seconde, collé à moi, à la moindre défaillance, aux possibles coups de pied, de poing. U., ma tempérance.

Il y eut aussi ma nièce Fa. et Y. l'amie, présentes et discrètes.

Des moments sans paroles, des moments avec paroles.

Pas d'horloge dans la maison et pourtant, précis, réguliers, les coups de balancier dans ma tête, dans nos têtes.

Il y eut le feu de cheminée contre le froid, le froid de la mort qui approchait. Du thé sur la table et une bouteille de bordeaux.

Il y eut des moments avec larmes et des moments sans larmes.

Le loup bleu du chagrin sur mes yeux quand le soir est venu.

Il y eut ta promesse de m'appeler, juste avant de partir, une dernière fois.

Il y eut donc l'attente.

J'ai pensé : En d'autres temps, dans une société grandie d'avoir réfléchi autrement à la mort, j'aurais pu être auprès de toi, à tes côtés vraiment, pas seulement en pensée. J'aurais tenu ta main et posé sur ton front le baiser de l'adieu...

Mais il y eut ton appel qui ne venait pas. Le sentiment qu'il ne viendrait plus. Et l'imagination qui s'affole. Et l'impression d'avoir entendu un coup de balancier plus fort que les autres. La certitude, oui, que c'était l'heure.

Tu n'avais pas téléphoné, mais c'était maintenant. C'était l'heure.

Alors il y eut, dans la chambre, U. et moi, serrés l'un contre l'autre.

Il y eut l'effroi, et la peur d'en mourir. Le corps qui se défait. Les jambes qui se dérobent. Les bras qui se cherchent. La raison suppliciée. Nos cris étouffés plus forts que tous les cris, dans la chambre.

Moi, accrochée aux bras d'U., ma raison, ma force :

«Tu me tiens ?

– Oui, je te tiens.»

Longtemps. Jusqu'à ce que tes yeux se ferment. Jusqu'à ce qu'on les croie fermés...

Il y eut ensuite le crépitement du feu. Nos quatre verres tremblants levés à la pensée de toi.

On me jura que tu dormais, que tu dormais tranquille, sans souffrir. Que c'était fini.

Et moi, sans mère, pour la première fois, titubante, abstraite..

Et puis, soudain, il y eut le téléphone strident qui nous fit sursauter : « C'est maman », a dit la voix qui m'a semblé venir d'ailleurs.

Il y eut nous, pétrifiés, incrédules :

« Maman !...

– Oui. Pardonne-moi, ma chérie, mais j'ai été retardée... Une longue visite inattendue... Ma voisine... Avec une part de gâteau... pour l'anniversaire de sa fille...

– Maman...

– À présent, je suis tranquille. Je suis prête. Tout est prêt. Je vais prendre ma douche, maintenant. »

Moi, répétant après toi chaque mot :

« Tu vas prendre ta douche maintenant C'est cela ?

– Oui. C'est cela. Tu comprends ?

– Oui. Je comprends... Je t'aime, maman.

– Moi aussi, je t'aime. »

Je ne pouvais pas encore te quitter.

Alors j'ai ajouté : « Je t'adore. » Comme autrefois.

Cette fois-ci tu m'as laissée dire.

Peut-être même as-tu souri.

Paris, le 5 décembre 2003

Du même auteur

Le Corps à corps culinaire
essai
Seuil, 1976; réédition avec une préface inédite, 1998

Histoires de bouches
récits
prix Goncourt de la Nouvelle 1987
Mercure de France, 1986
Gallimard, «Folio» n° 190[illegible]

À contre-sens
récits
Mercure de France, 1989
Gallimard, «Folio» n° 2206

La Courte Échelle
roman
Gallimard, 1993
et «Folio» n° 2508, réédition 2001

À table
récits
Éditions du May, 1992

Trompe-l'œil
Voyage au pays de la chirurgie esthétique
Belfond, 1993
Réédition Seuil, 1998, sous le titre «Corps sur mesure»

La Dame en bleu
roman
prix Anna de Noailles de l'Académie française
Stock, 1996
«Le Livre de poche» n° 14199

La Femme Coquelicot
roman
Stock, 1997
«Le Livre de poche» n° 14563

La Petite aux tournesols
roman
Stock, 1999
«Le Livre de poche» n° 15023

La Tête en bas
roman
Seuil, 2002
et «Points» n° P1052

TEXTE CRITIQUE

Système de l'agression
(Choix et présentation des textes philosophiques de Sade)
Aubier-Montaigne, 1972

Introduction et notes à
«Justine ou les Malheurs de la vertu» de Sade
Gallimard, «Idées», 1979
et «L'Imaginaire», 1994
Réédition 2001